Пауло Коэльо

Luna

Вероника

решает

умереть

УДК 821.134.3
ББК 84(70Бр)
    К76

К76   **Коэльо, Пауло**
      Вероника решает умереть / Перев. с португ. — К.: «София»;
М.: ИД «Гелиос» , 2002. — 272 с.

Вторая изданная «Софией» книга Коэльо — совсем иная, чем знаменитый «Алхимик». О чем же она?

Просто о жизни, о смерти, о любви. Да еще о безумии — о «Горечи», которой поражены мы все, и о том Безумии, избавляться от которого нельзя ни в коем случае...

«Вероника решает умереть» — прекрасная и ободряющая, придающая силу книга, блестяще проработанная и полная иронических метафор. Это реалистическая история о жажде жизни перед лицом смерти, призывающая воспринимать каждый день как чудо.

Издательство «София» выражает благодарность литературному агентству «Синопсис» за помощь в приобретении прав на публикацию книг Пауло Коэльо

ISBN 5-220-00448-4 («София»)
ISBN 5-344-00060-X (ИД «Гелиос»)

*Пресвятая Дева, без греха зачавшая,
моли Бога о нас,
да не постыдимся в уповании на Тебя.*

*Се, даю вам власть наступать на змей
и скорпионов и на всю силу вражию,
и ничто не повредит вам.*

Лк. 10: 19

*Одиннадцатого ноября 1997 года Вероника
окончательно решила свести счеты
с жизнью. Она тщательно убрала свою
комнату, которую снимала в женском
монастыре, почистила зубы и легла
в постель.*

Со столика в изголовье она взяла таблетки — четыре пачки снотворного, — но не стала жевать горстями, запивая водой, а решила глотать по одной, поскольку велика разница между намерением и действием, а ей хотелось оставить за собой свободу выбора, если на полпути она вдруг передумает. Между тем с каждой проглоченной таблеткой Вероника все больше укреплялась в своем решении, и через пять минут все пачки были пусты.

Не зная, сколько времени потребуется, чтобы потерять наконец сознание, Вероника взялась за журнал — последний номер «Homme», прихваченный из библиотеки, где она работала. Хотя компьютеры нимало не занимали Веронику, однако, листая журнал, она наткнулась на статью о новой игре из тех, что продаются на компакт-дисках, созданной Пауло Коэльо. Это был бразильский писатель — тот самый, с которым она случайно познакомилась на читательской конференции в кафе при гостинице Гран-Юнион. Они обменялись парой слов, и в конце концов его издатель пригласил ее на ужин. Но народу собралось много, и познакомиться поближе им не удалось.

Один лишь факт знакомства с писателем, о котором, словно нарочно, оказалась попавшаяся на глаза статья, навел ее на мысль, что этот человек каким-то образом является частью ее мира; во всяком случае, чтение поможет скоротать время. В ожидании смерти Вероника принялась читать об информатике — предмете, к которому не питала ни малейшего интереса. Впрочем, так она поступала всю жизнь, по возможности избегая трудностей, предпочитая брать то, что попадется под руку. Этот журнал, к примеру.

Как ни странно, первая же строка вывела ее из привычного безучастного равновесия (снотворное еще не успело раствориться в желудке, но Вероника и так была пассивной по природе) и заставила впервые в жизни задуматься над истинным смыслом фразы, столь популярной среди ее друзей: «ничто в этом мире не происходит случайно».

Почему эта строка попалась на глаза именно сейчас, когда жить осталось несколько минут? Если это не случайное совпадение, то как понимать посланный ей знак, — если, конечно, предположить, что это скрытое послание и что не бывает случайных совпадений?

Текст под иллюстрацией к компьютерной игре начинался вопросом:

«Где находится Словения?»

Боже мой, — подумала она, — никто ничего не знает о Словении, — даже где она находится.

И однако Словения несомненно существовала, она была снаружи, внутри, она была горами на горизонте, городской площадью в окне. Словения была родиной Вероники, ее страной.

Вероника отложила журнал: какой смысл возмущаться этим миром, который знать не знает о самом существовании словенцев; честь и гордость нации — все это теперь для нее пустые слова. Пришло время гордиться собой, узнать, на что ты способна, — наконец-то ты проявила мужество, покидая эту жизнь. Какая радость! К тому же сделала это именно тем способом, о каком всегда мечтала, — при помощи таблеток, которые не оставят следов.

Эти таблетки Вероника искала почти полгода. В опасении, что так их и не найдет, она даже начала обдумывать другой способ — вскрыть себе вены. Не важно, что кровью будет залита вся комната, поднимется переполох, да и монахини окажутся просто в шоке: самоубийство —

твое личное дело, до других тебе дела нет. Она сделала бы все возможное, чтобы никого не обременять своей смертью, но если вскрыть вены — единственный выход, то нет выбора: все равно монахини, вымыв комнату, уничтожив малейшие следы крови, вскоре забудут об этой истории, если только слух о ней не отпугнет новых постояльцев. Что ни говори, даже в конце XX века люди все еще верят в привидения.

Конечно, можно было бы, скажем, просто броситься с крыши одного из немногих высотных зданий Любляны, но какие страдания вызовет такой поступок у ее родителей! Мало того потрясения, которое они испытают при известии о смерти дочери, — их еще и потащат на опознание ее изуродованного тела. Нет, такой выход из положения еще хуже, чем истечь кровью: воспоминание, которое об этом останется в душах тех двоих, которые всю жизнь желали ей только добра, будет просто невыносимым.

С самой смертью дочери они в конце концов смирятся, но забыть размозженный череп? — Нет, невозможно.

Застрелиться, броситься с крыши, повеситься — против всего этого протестовала сама ее женская природа. Женщины выбирают более романтичные способы самоубийства: глотают снотворное пачками или режут себе вены. Тому имеется великое множество примеров — голливудские актрисы, состарившиеся топ-модели, покинутые мужьями особы королевских кровей.

Вероника знала, что жизнь — это всегда ожидание того часа, когда дальнейшее зависит лишь от твоих решительных действий. Так получилось и на этот раз: два приятеля, тронутые ее жалобами на бессонницу, раздобыли у музыкантов в местном кабаре по две пачки сильнодействующего снотворного. Все четыре пачки отлеживались на ночном столике в течение недели, чтобы Вероника успела полюбить близящуюся смерть — и без всяких сантиментов проститься с тем, что называется «жизнь».

И вот она здесь, довольная тем, что пошла до конца, но и томимая неизвестностью с примесью скуки, не зная, чем заполнить последние минуты своей жизни.

Она вновь подумала о нелепости только что прочитанного: как вообще статью о компьютерах можно начинать с такой идиотской фразы — «где находится Словения?»

Но делать все равно было нечего, и Вероника решила дочитать статью до конца. Дальше речь шла о том, что упомянутая компьютерная игра была разработана и производилась в Словении — той самой диковинной стране, о которой якобы никто ничего не знает, кроме ее жителей.

На самом же деле Словения была источником дешевой рабочей силы для всей Европы. Пару месяцев назад одно французское предприятие, запустившее в Словении производство компакт-дисков, устроило шикарную презентацию в старином замке в городе Блед.

Вероника что-то слышала об этой презентации, которая для города стала, разумеется, настоящим событием. Ради воспроизведения средневековой атмосферы для какой-то сногсшибательной компьютерной игры замок был специально отреставрирован, а на саму презентацию, вокруг которой в местной прессе разгорелась жаркая полемика, пригласили немецких, французских, английских, итальянских, испанских журналистов — и, уж конечно, ни одного словенца.

Обозреватель «Homme», — впервые приехавший в Словению (наверняка с полностью оплаченной командировкой) — скорее всего, занимался тем, что развлекал прочих коллег-журналистов забавными, на его взгляд, историями, пил-ел в свое удовольствие, а статью решил начать с шутки, которая должна была понравиться заумным интеллектуалам в его стране. Он, должно быть, даже рассказал своим приятелям в редакции несколько невероятных баек о местных обычаях да о том, как плохо одеты словенские женщины.

Впрочем, это *его* проблемы. Вероника умирала, и ей следовало бы занять свои мысли вопросами поинтересней — удастся ли узнать, есть ли жизнь после смерти, или как скоро обнаружат ее тело. Тем не менее — а может, именно по причине важности принятого ею решения, — статья вызывала раздражение.

Она взглянула в окно, на небольшую люблянскую площадь.

Если они не знают о Словении, то Любляна для них вообще просто миф.

Как Атлантида, Лемурия или другие пропавшие континенты, будоражащие воображение человека. Ни один серьезный журналист не начал бы статью с вопроса, где находится Эверест, даже если никогда там не был. И однако обозреватель издаваемого в самом центре Европы солидного журнала не постеснялся начать статью с подобного вопроса, поскольку был уверен, что большинство его читателей в самом деле понятия не имеют, где находится Словения. А тем более — Любляна, ее столица.

И тут Веронику осенило, чем заполнить оставшееся время — она все еще не чувствовала в своем организме каких-либо изменений, хотя прошло уже десять минут. В завершение своей жизни она напишет в этот журнал письмо, где невеждам бы растолковывалось, что Словения, да будет вам известно, — это одна из пяти республик, возникших в результате распада бывшей Югославии.

Итак, вместо традиционной пояснительной записки останется письмо, письмо для отвода глаз, чтобы скрыть от ненасытного человеческого любопытства подлинные мотивы ее самоубийства.

Обнаружив тело, будут вынуждены прийти к заключению: она покончила с собой потому, что какой-то журналист не знает, где находится ее страна. Вероника невольно усмехнулась при мысли о том, какая бурная полемика начнется в газетах, какой поднимется тарарам вокруг «за и против» ее самоубийства во имя национальной идеи. При этом Вероника с удивлением отметила, до чего незаметно переменился ход ее мыслей: минуту назад она не сомневалась, что все человечество со всеми своими проблемами ее больше не касается.

И вот письмо готово. Вероника даже развеселилась, так что и умирать почти расхотелось, — да только таблетки уже приняты и возврата нет.

Для Вероники, кстати, такие минуты прекрасного расположения духа не были редкостью, да и вообще она решила покончить с собой вовсе не оттого, что была меланхолической натурой — из тех, кто постоянно пребывают в депрессии и едва не с самого рождения склонны к самоубийству; нет, ее случай совсем иной. Бывало, Вероника с неизменным удовольствием целыми днями бродила по улицам Любляны или подолгу заворожённо смотрела из окна своей комнаты, как падает снег на маленькую площадь со статуей поэта в центре. А однажды на этой самой площади ей подарил цветок какой-то незнакомый мужчина — и Вероника почти целый месяц чувствовала себя так, словно у нее выросли крылья. Да и вообще Вероника всегда считала себя человеком абсолютно нормальным; что ж до решения покончить с собой, то оно было принято по двум очень простым причинам. Она была уверена, что если бы оставила прощальную записку, то многие согласились бы с этим ее шагом.

Причина первая: жизнь утратила краски, и теперь, когда миновала юность, все пойдет к закату: неумолимыми знаками на лице все более явно будет проступать близкая старость, придут болезни, будут уходить друзья. В конце концов, что бы она выиграла, продолжая жить, ведь

November

с каждым годом жизнь становилась бы все мучительнее и невыносимей.

Вторая причина была скорее философской: Вероника читала газеты, смотрела телевизор, была в курсе всех новостей, всех событий. Что ни происходило в мире — все было не так, и она не знала, как можно в нем что-либо изменить, и уже от одного этого опускались руки, она чувствовала себя никому в этом мире не нужной, бесполезной, чужой.

Вскоре ей откроется последняя в ее жизни тайна, тайна смерти. Потому-то, написав письмо в журнал, Вероника тут же о нем забыла: сейчас речь шла о том, что несравненно более важно: жизнь и смерть.

Вскоре она откроет последнюю в своей жизни тайну, самую непостижимую, самую невероятную: тайну смерти. Написав письмо в журнал, она тут же забыла о нем, сосредоточившись на вопросах, более соответствующих тому, что она сейчас переживала или, скорее, «пере-умирала».

Она попыталась как можно наглядней представить себе собственную смерть, но ничего не получалось.

Да и потом — к чему? Все равно через несколько минут она узнает, что там, за порогом смерти.

Через несколько — это через сколько?

Неизвестно. Но на мгновение Веронику привела в восторг сама мысль о том, что вот-вот — и она получит ответ на вопрос, не дающий покоя человечеству с тех пор, как оно существует: есть ли Бог?

Вероника, в отличие от многих других людей, никогда серьезно не задумывалась над этим вопросом. При старом, коммунистическом строе официальное воспитание требовало признать, что жизнь заканчивается со смертью, и она в конце концов смирилась с этой мыслью. С другой стороны, поколения ее отцов и дедов посещали церковь, молились и совершали паломничества, и были убеждены, что Бог им внемлет.

В свои 24 года, пережив все, что ей было отпущено пережить — а это на самом деле не так уж мало, — Вероника была почти уверена, что со смертью всему приходит конец. Поэтому она выбрала самоубийство — свободу от всего. Вечное забвение.

Однако в глубине души тлело сомнение: а если Бог есть? Тысячи лет цивилизации наложили табу на самоубийство, оно осуждается всеми религиями: человек живет, чтобы бороться, а не сдаваться. Род человеческий должен продолжаться. Обществу нужны рабочие руки. Семье нужен повод, чтобы жить вместе, даже когда любовь ушла. Стране нужны солдаты, политики, артисты и художники.

Если Бог существует — во что я, правда, не верю, — Он должен знать, что есть предел силам человеческим, предел человеческому пониманию. Ведь разве не Он создал этот мир со всей его безнадежной неразберихой, с его ложью, наживой, нищетой, отчужден-

ностью, несправедливостью, одиночеством. *Несомненно, он действовал из лучших побуждений, но результаты оказались довольно-таки плачевными. Итак, если Бог есть, Он должен быть снисходителен к тем своим творениям, которые хотят пораньше покинуть эту Землю, а может быть, даже попросить у них прощения за то, что заставил ходить по ней.*

К черту все табу и суеверия! Ее набожная мать говорила: Бог знает прошлое, настоящее и будущее. В таком случае Он, посылая ее в этот мир, заранее знал, что она закончит жизнь самоубийством, и Его не должен шокировать такой поступок.

Вероника почувствовала приближение дурноты, которая затем начала быстро усиливаться.

Спустя несколько минут она уже с трудом различала площадь за окном.

Она знала, что была зима, около четырех часов дня, и что солнце скоро сядет. Она знала, что другие люди будут продолжать жить. В этот момент мимо окна прошел молодой человек и взглянул на нее, совершенно не осознавая, что она умирает.

Группа боливийских музыкантов (а где Боливия? Почему в журнальных статьях не спрашивается об этом?) играла у памятника Франце Прешерну, великому словенскому поэту, который оставил глубокий след в душе своего народа.

Доживет ли она до конца этой музыки, доносившейся с площади? Это было бы прекрасной памятью об этой жизни: наступающий вечер, мелодия, навевающая мечты о другой части света, теплая, уютная комната, красивый полный жизни юноша, который, проходя мимо, решил остановиться и теперь смотрел на нее. Она поняла, что таблетки уже начали действовать и что он — последний человек, которого она видит в жизни.

Он улыбнулся. Вероника улыбнулась в ответ — теперь это не имеет значения. Тогда парень помахал рукой, но Вероника отвела взгляд, сделав вид, что смотрит на самом деле не на него, — молодой человек и так уже слишком много себе позволил. Помедлив, он в явном смущении зашагал дальше, чтобы вскоре навсегда забыть увиденное в окне лицо.

Веронике было приятно в последний раз почувствовать себя желанной. Она убивала себя не из-за отсутствия любви. Она умирала не потому, что была нелюбимым ребенком в семье, не из-за финансовых трудностей или неизлечимой болезни.

Как хорошо, что она решила умереть в этот чудесный люблянский вечер, когда на площади играли боливийские музыканты, когда мимо ее окна проходил незнакомый парень, и она была довольна тем, что видели напоследок ее глаза и слышали ее уши, а еще больше — тем, что в последующие тридцать, сорок, пятьдесят лет ничего этого не увидит и не услышит. Ведь даже самые прекрасные воспоминания рано или поздно оборачиваются все тем же унылым и нескончаемым трагическим фарсом, который называют жизнью, где без конца повторяется все то же и каждый день похож на вчерашний.

В желудке забурлило, и теперь ее самочувствие стремительно ухудшалось.

Ну надо же, — подумала она *— а я-то рассчитывала, что сверхдоза снотворного моментально погрузит в беспамятство.*

В ушах возник странный шум, голова закружилась, потянуло на рвоту.

Если меня стошнит, умереть не получится.

Чтобы не думать о спазмах в желудке, она пыталась сосредоточиться на мыслях о быстро наступающей ночи, о боливийцах, о закрывающих лавки и спешащих домой торговцах. Но шум в ушах все усиливался, и впервые после того, как она приняла таблетки, Вероника испытала страх, жуткий страх перед неизвестностью.

Но это длилось недолго.

Она потеряла сознание.

Desire

Когда Вероника открыла глаза, первой мыслью было: «Что-то на небеса не похоже». На небесах, в раю, вряд ли пользуются лампами дневного света, а уж боль, возникшая мгновением позже, была совершенно земной. Ах, эта земная боль, она неповторима — ее ни с чем не спутаешь.

Она пошевелилась, и боль стала сильнее. Появился ряд светящихся точек, но теперь Вероника уже знала, что эти точки — не звезды рая, а следствие обрушившейся на нее боли.

— Очнулась наконец, — сказал чей-то женский голос. — Радуйся, милочка, вот ты и в аду, так что лежи и не дергайся.

Нет, не может быть, этот голос ее обманывал. Это не ад, ведь ей было очень холодно, и она заметила, что у нее изо рта и из носа тянутся какие-то трубки. Одна из этих трубок, проходившая через горло внутрь, вызывала у нее ощущение удушья.

Она хотела выдернуть трубку, но обнаружила, что руки у нее связаны.

— Не бойся, я пошутила: здесь, конечно, не ад, — проговорил тот же голос. — Здесь, может быть, похуже ада, хотя лично я там никогда не бывала. Здесь — Виллете.

Несмотря на боль и удушье, Вероника за какую-то долю секунды поняла, что с ней произошло. Она хотела умереть, но кто-то успел ее спасти. Кто-то из монахинь, а возможно, подруга, вздумавшая явиться без предупреждения. А может, просто кто-то зашел вернуть давний долг, о котором сама она давно забыла.

Главное — она осталась жива и сейчас находится в Виллете.

Виллете — знаменитый приют для душевнобольных, пользующийся недоброй славой, — существовал с 1991 года, года обретения Словенией независимости. В то время, расчитывая, что раздел бывшей Югославии произойдет мирным путем (в конце концов, в самой Словении война длилась всего одиннадцать дней), группа европейских предпринимателей добилась разрешения на устройство психиатрической лечебницы в бывших казармах, давно уже заброшенных из-за высокой стоимости необходимого ремонта.

Однако вскоре начались политические неурядицы, переросшие в настоящую войну — вначале в Хорватии, затем в Боснии. Предприниматели-соучредители фонда

Виллете сильно забеспокоились: средства поступали от вкладчиков, разбросанных по всему миру, даже имена которых были неизвестны, так что всех их собрать, чтобы извиниться и попросить набраться терпения, было просто физически невозможно. Проблему пришлось решать способами, не имевшими ничего общего с официальной медициной. Так в молодой стране, едва успевшей выбраться из «развитого социализма», Виллете стал символом худшего, что несет с собой капитализм: чтобы получить место в клинике, достаточно было просто заплатить.

Многие, кто желал избавиться от кого-нибудь из членов семьи из-за споров по поводу наследства (или, скажем, по причине компрометирующего семью поведения), готовы были выложить солидную сумму, лишь бы раздобыть официальное медицинское заключение, согласно которому дети или родители, явившиеся источником проблем, помещались в приют.

Другие же, чтобы спастись от кредиторов или оправдать некоторые действия, следствием которых могло стать длительное тюремное заключение, прятались в стенах больницы, а по истечении нужного времени выходили на волю свободными людьми, над которыми уже бессильны и судебные исполнители, и кредиторы.

Виллете — это было такое место, откуда никто никогда не пытался бежать. Здесь бок о бок находились настоящие умалишенные, угодившие сюда по решению суда или переведенные из других больниц, и те, кого объявляли или кто сами притворялись сумасшедшими. В результате возник совершенный хаос, в газетах то и дело мелькали сообщения о всяческих злоупотреблениях в стенах клиники, о дурном обращении с больными, однако ни разу ни одному журналисту не удалось добиться пропуска в Виллете, чтобы собственными глазами увидеть, что же в ней на самом деле происходит. Правительственные комиссии проводили нескончаемые и столь же безрезультатные расследования, слухи не подтверждались, акционеры угрожали раззвонить по всему миру об опасности иностранных инвестиций в Словении... а приют не только выстоял, но и, судя по всему, процветал.

— Моя тетка несколько месяцев назад тоже совершила самоубийство, — продолжал женский голос. — А до этого почти восемь лет не желала выходить из своей комнаты и только без конца ела, курила, толстела и спала, наглотавшись транквилизаторов. И это при том, что у нее были две дочери и преданный, любящий муж.

Вероника попыталась повернуть голову, чтобы увидеть, чей это голос, но ничего не получилось.

— Лишь однажды я видела, как в ней проснулся живой человек, — когда она узнала, что муж завел себе любовницу. Тетка закатила безумную истерику, расколотила всю посуду в доме, худела на глазах, и неделями не давала покоя соседям своими криками. Хотя это может показаться абсурдным, но я думаю, если когда-нибудь она была по-настоящему счастлива, то именно в эти дни: она за что-то боролась, она чувствовала себя живой, способной ответить на брошенный судьбою вызов.

Только при чем здесь я? — подумала Вероника, лишенная возможности произнести хоть полслова. — *Я не твоя тетка, да и мужа у меня никакого нет!*

— Потом муж к ней все-таки вернулся, бросил любовницу, — продолжал женский голос. — И тетка опять погрузилась в ту же беспросветную апатию. Однажды звонит мне и говорит, что бросила курить, пора вообще изменить образ жизни. И вот на той же неделе, напичкав себя успокоительными, чтобы заглушить тягу к сигаретам, всех обзвонила и сказала, что вот-вот покончит с собой. Никто ей, конечно, не поверил. И через пару дней просыпаюсь я примерно к полудню — а на автоответчике послание от тетки, прощальное. Она отравилась газом. Это ее прощальное послание я прослушала много раз: никогда еще в ее голосе не было такого покоя, такого примирения с судьбой. Она сказала, что попросту не способна больше чувствовать ничего — ни радости, ни горя, — и значит, хватит, с нее довольно.

Веронике стало жаль женщину, которая рассказывала эту историю. Должно быть, она искренне хотела понять смерть своей тети. Как можно осуждать людей, решивших умереть, в этом мире, где каждый старается выжить любой ценой?

Никому не дано судить. Каждый сам знает глубину своих страданий, — тех страданий, когда в конце концов теряется сам смысл жизни. Веронике хотелось высказать именно это, но она только поперхнулась из-за трубки в горле, и ей пришла на помощь невидимая обладательница голоса.

Над Вероникой — над ее спеленутым телом, увитым трубками, которые должны были всячески его защищать от собственной хозяйки, от ее намерения покончить с собой, — склонилась медсестра. Вероника затрясла головой, взглядом умоляя вытащить из нее эту проклятую трубку, чтобы дали ей наконец умереть спокойно.

— Вы нервничаете, — сказала женщина. — Я не знаю, раскаялись ли вы или все еще хотите умереть, но мне это безразлично. Меня интересует только выполнение моих обязанностей: если пациент начинает волноваться, по правилам я должна дать ему успокоительное.

Вероника замерла, но медсестра уже делала в вену укол. Вскоре Вероника вновь оказалась в странном мире без сновидений, и последним, что она видела, проваливаясь в забытье, было лицо склонившейся над нею медсестры: темные глаза, каштановые волосы, отсутствующий взгляд человека, который делает свое дело, — делает просто потому, что так положено, так требуют правила, и, значит, бессмысленно задаваться вопросом — почему.

Об истории, которая случилась с Вероникой, Пауло Коэльо узнал три месяца спустя, за ужином в одном из алжирских ресторанов Парижа, от знакомой словенки — мало того что тезки Вероники, но и дочери главного врача Виллете.

П озже, уже когда созрел замысел этой книги, ее автор хотел было вначале изменить имя героини, чтобы не путать читателя. Он долго прикидывал, не назвать ли Веронику, которая решила умереть, Браской, или Эдвиной, или Марицей, или еще каким-нибудь словенским именем, но в конце концов решил оставить всё как есть, то есть сохранить подлинные имена. Поэтому, решил он, когда в книге появится та, с кем был ужин в ресторане, то она будет называться «Вероникой-подругой автора». Что же до самой героини романа, то, наверное, нет необходимости давать ей какие-либо уточняющие определения — ведь в книге она и так будет главным действующим лицом, и было бы утомительно называть ее всякий раз «Вероникой-душевнобольной» или «Вероникой, решившей умереть». Как бы то ни было, и сам автор, и его подруга Вероника появляются только в одной главе — вот в этой.

За столом в ресторане Вероника рассказывала, какой ужас ей внушает то, чем занимается ее отец, — особенно если учесть, что под его началом заведение, которое весьма ревниво относится к своему реноме, а сам он работает над диссертацией, которая должна принести ему известность в ученом мире.

— Тебе вообще известно, откуда взялось само слово «приют»*? — спросила она. — Все началось в средние века, когда каждый имел право искать убежище при церквах, в святых местах. Что такое право на убежище, понятно любому цивилизованному человеку! Как же так получилось, что мой отец, будучи директором того, что называется «приют», может поступать с людьми подобным образом?

Пауло Коэльо захотелось узнать подробнее обо всем происшедшем, ведь у него был весьма веский повод заинтересоваться историей Вероники.

А повод был такой: его самого помещали в клинику для душевнобольных, или «приют», как чаще называли больницы такого рода. И было такое не один раз, а целых три — в шестьдесят пятом году, в шестьдесят шестом и в шестьдесят седьмом. Местом заключения была частная клиника доктора Эйраса в Рио-де-Жанейро.

---

* Asylum: здесь: психиатрическая лечебница; приют для душевнобольных; «дом скорби» (*лат., англ.*).

Ему до сих пор была неясна подлинная причина госпитализации: возможно, его встревоженных родителей вынудила в конце концов к этой крайней мере его странная манера поведения — то слишком, по их мнению, скованная, то слишком раскованная, — а может быть, на самом деле все объяснялось его желанием стать «свободным художником», что несомненно означало стать бродягой и закончить свои дни под забором.

Возвращаясь порой к воспоминаниям об этом печальном эпизоде в своей жизни, — что случалось, надо сказать, нечасто, — Пауло Коэльо все более утверждался в мысли, что если кто и был по-настоящему сумасшедшим, так это врач, который не задумываясь, без всяких колебаний решил поместить его в психбольницу (с другой стороны, оно и понятно: в подобных случаях в любой семье предпочтут ради ее сохранения свалить вину на кого-нибудь со стороны, лишь бы не подвергать сомнению авторитет родителей, которые руководствовались, наверное, самыми благими побуждениями, пусть даже не ведали, что творят).

Пауло рассмеялся, услышав о странном прощальном письме Вероники, в котором она обвиняла весь мир в том, что даже в солидном журнале, издаваемом в самом центре Европы, понятия не имеют, где находится Словения.

— В первый раз слышу, чтобы по такому пустячному поводу кому-то пришло в голову покончить с собой.

— Потому-то и не было на ее письмо никакого отклика, — с грустью заметила сидевшая за столом Вероника-подруга автора. — Да что тут говорить: не далее как вчера, когда я регистрировалась в отеле, там решили, что Словения — какой-то город в Германии.

Ему было знакомо это чувство. То и дело кто-нибудь из иностранцев, желая доставить ему удовольствие, рассыпался в дежурных комплиментах красоте Буэнос-Айреса, почему-то считая этот аргентинский город столицей Бразилии. Общим с Вероникой у него было еще и то, о чем уже упоминалось, но о чем стоит сказать еще раз: некогда и он был упрятан в психиатрическую лечебницу, «из которой ему и не следовало выходить», как однажды заметила его первая жена.

Но он вышел.

И, покидая в последний раз клинику доктора Эйраса, исполненный решимости больше ни за что туда не возвращаться, он дал себе два обещания: (а) что однажды он обязательно напишет об этой истории; (б) но, пока живы его родители, не станет затрагивать эту тему вообще, поскольку не хотел их ранить, ведь потом долгие годы они раскаивались в содеянном.

Его мать умерла в 1993 году. Но его отец, которому в 1997 году исполнилось 84 года, все еще пребывал в ясном уме и добром здравии — несмотря на эмфизему легких (хотя он никогда не курил) и то, что он питался исключительно полуфабрикатами, поскольку ни одна домработница не могла ужиться с ним из-за его эксцентричности.

Таким образом, история Вероники, услышанная в ресторане, сама собою сняла запрет: теперь об этом можно было заговорить, не нарушая давней клятвы. И, хотя сам Коэльо никогда не думал о самоубийстве, ему была достаточно хорошо известна сама атмосфера, царящая в заведениях для душевнобольных: обязательные, если не насильственные лечебные процедуры, унизительное обращение с пациентами, безразличие врачей, чувство загнанности и тоски в каждом, кто понимает, где он находится.

А теперь, с позволения читателя, дадим Пауло Коэльо и его подруге Веронике навсегда покинуть эту книгу и продолжим повествование.

Неизвестно, сколько длилось забытье.
Вероника помнила лишь, что, когда она
на секунду очнулась, в носу и во рту
всё еще торчали трубки аппарата
искусственного дыхания, и как раз
в это мгновение чей-то голос произнес:

Хочешь, я сделаю тебе мастурбацию?

Теперь, озираясь вокруг широко раскрытыми глазами, она все более сомневалась, было ли это в действительности или просто почудилось. И больше она не помнила ничего, абсолютно ничего.

Трубок больше не было, но тело оставалось едва не сплошь утыкано иглами капельниц; к голове и к груди подсоединены провода электродатчиков, а руки связаны. Она лежала голая, укрытая лишь простыней: было холодно, но с этим приходилось мириться. Весь отведенный ей закуток, отгороженный ширмами, был загроможден аппаратурой интенсивной терапии, а рядом с койкой, на железном стуле, выкрашенном все той же белой больничной краской, сидела медсестра с раскрытой книгой в руках.

У медсестры были темные глаза и каштановые волосы, но все же Вероника усомнилась, та ли это женщина, с которой она говорила несколькими часами или, может быть, днями ранее.

— Вы не развяжете мне руки?

Подняв глаза, медсестра бросила «нет» и вновь погрузилась в чтение.

Я жива, — подумала Вероника. — *Опять все сначала. Придется здесь проторчать неизвестно сколько, пока не удастся их убедить, что я в здравом уме, что со мной все в полном порядке. Потом меня выпишут, и все, что я увижу за этими стенами, опять будет та же Любляна, центральная площадь и те же мосты, горожане, прогуливающиеся или спешащие по своим делам.*

Людям нравится выглядеть лучше, чем они есть на самом деле, и поэтому, наверное, из показного сострадания мне снова дадут работу в библиотеке. Со временем я опять начну ходить по тем же барам и ночным клубам, где все те же бессмысленные разговоры с друзьями о несправедливости и проблемах этого мира, ходить в кино, гулять по берегу озера.

Таблетки в общем-то оказались удачным выбором — в том смысле, что путь для отступления открыт: я не стала калекой; я такая же молодая, красивая, умная и, значит, смогу по-прежнему, без особого труда найти себе очередного любовника. Это значит — заниматься любовью у него дома или, скажем, в лесу, получая вполне определенное удовольствие, — только всякий раз после оргазма будет возвращаться все то же ощущение пустоты. Постепенно иссякнут темы для разговоров, и втайне оба мы будем думать об одном: о поисках благовидного предлога — «уже поздно», «завтра мне рано вставать», — а потом мы решим «расстаться друзьями», по возможности избежав утомительных и ненужных сцен.

Я снова возвращаюсь в ту же комнату при монастыре. Что-то листаю, включаю телевизор, где все те же передачи, ставлю стрелку будильника ровно на тот же час, что и вчера; потом на работе, у себя в библиотеке, механически исполняю очередной заказ. В полдень съедаю бутерброд в сквере напротив театра, сидя на все той же скамейке, среди других людей, которые с серьезными лицами и отсутствующим взглядом поглощают свои бутерброды на таких же облюбованных скамейках.

После обеда — опять на работу, где приходится выслушивать все те же сплетни — кто с кем встречается, кто от чего страдает, у кого муж, оказывается, просто подонок, — выслушиваю снисходительно, радуясь втайне тому, что я-то особенная, я неповторимая, я красивая, работой обеспечена, а что до любовников, то с этим никаких проблем. После работы — опять по барам. И все сначала.

Мать, которую, должно быть, хорошо встряхнет моя попытка самоубийства, достаточно скоро придет в себя после шока, и вновь начнется: что я себе думаю, почему не такая, как все, ведь я уже не маленькая, пора подумать о будущем, пора устраивать свою жизнь, в конце концов все на самом деле не настолько сложно, как я себе представляю. «Взгляни, например, на меня, я уже столько лет замужем за твоим отцом — и ничего, не жалуюсь, потому что главным для меня всегда была ты, я делала все что могла, чтобы дать тебе самое лучшее воспитание, чтобы ты получила хорошее образование, чтобы я могла гордиться тобой».

В один прекрасный день я устану от нескончаемых нотаций и, чтобы доставить ей удовольствие, выйду за кого-нибудь замуж, уговорив себя, что в самом деле его люблю. Поначалу мы будем строить воздушные замки о собственном загородном доме, о будущих детях, о том, как у них все замечательно устроится. Первый год мы еще будем часто заниматься любовью, второй — гораздо реже, а потом, наверное, сама мысль о сексе будет появляться у нас раза два в неделю, не говоря о ее воплощении раз в месяц. Мало того, мы почти перестанем разговаривать друг с другом. В растущей тревоге я начну спрашивать себя — может быть, это я всему виной, может быть, это со мной что-то не в порядке, раз я его больше не интересую. Единственное, о чем с ним можно говорить, — это его друзья, словно на них свет клином сошелся.

Когда наш брак будет совсем уж висеть на волоске, я забеременею. У нас родится ребенок, на какое-то время мы станем ближе друг другу, а затем потихоньку все вернется в прежнюю колею.

Затем я начну катастрофически толстеть, как та самая тетка вчерашней медсестры, или позапозавчерашней, не помню, неважно. В сражении со стремительно прибывающим весом сяду на диету, изо дня в день чувствуя себя разбитой и подавленной оттого, что все усилия бесполезны. Чтобы хоть за что-то уцепиться, начну принимать нынешние якобы чудодейственные препараты, снимающие депрессию, и после ночей любви, всегда столь редких, рожу еще несколько детей. Я буду твердить направо и налево, что дети, мол, смысл моей жизни, а ведь если подумать, то наоборот: как раз моя жизнь — это смысл их жизни, сама ее причина.

Все вокруг будут считать нас счастливой парой, не догадываясь, что и здесь, как всюду, за видимостью счастья таится все та же горечь и тоска, все то же беспросветное одиночество.

А потом мне однажды доложат, что у мужа есть любовница. Я, наверное, устрою скандал, как та самая тетка медсестры, или вновь начну обдумывать простейший выход — самоубийство. Но к тому времени я уже буду старая и трусливая, расплывшаяся и обрюзгшая, с двумя-тремя детьми на руках, которым нужна моя помощь, их ведь нужно воспитать, дать им обра-

зование, помочь найти свое место под солнцем — ведь у меня обязанности, от которых никуда не деться, так что какое уж тут самоубийство — самоубийство придется надолго отложить. Да и не будет никакого самоубийства, будут бесконечные скандалы, обвинения, угрозы уйти вместе с детьми. Муж, как водится, пойдет на попятный, начнет уверять, что любит только одну меня и что такое больше не повторится, даже не понимая, что на самом-то деле мне некуда деваться, разве что переехать к родителям — на этот раз навсегда, до конца своих дней, — а это значит вновь с утра до ночи выслушивать нотации и причитания, что я сама виновата, сама разрушила семейное счастье — пусть какое-никакое, но счастье, — что он, при всех его недостатках, был все-таки хорошим мужем, не говоря о том, что для детей сам по себе наш развод — непоправимая психическая травма.

Еще через два-три года у него появится новая любовница — об этом я либо догадаюсь сама, когда ее увижу, либо мне кто-нибудь опять-таки поспешит об этом сообщить, а я, конечно, закрою на это глаза, — на борьбу с прежней любовницей ушло столько сил, что теперь лучше принять жизнь как есть, если уж она оказалась не такой, как я себе представляла. Мать была права.

Он будет со мной все так же мил, я все так же буду работать в библиотеке, в полдень на площади перед театром съедать свой бутерброд, браться за книги, каждую всякий раз бросая недочитанной, глазеть в телевизор, где все останется таким же и через десять, и через двадцать, и через пятьдесят лет.

Только теперь бутерброды я буду есть с крепнущим чувством вины, все более безнадежно толстея; и в бары теперь путь мне будет заказан, потому что у меня есть муж, у меня есть дом, а в нем дети, которые требуют материнской заботы, которых надо воспитывать, принося им в безоглядную жертву свою оставшуюся жизнь.

И теперь весь ее смысл сведется к ожиданию той поры, когда они вырастут, и все более неотвязными будут мысли о самоубийстве, но теперь о нем останется только мечтать. И в один прекрасный день я приду к убеждению, что на самом деле — такова жизнь, в которой все стоит на месте, в которой никогда ничего не меняется.

И я смирюсь с этим.

Внутренний монолог иссяк, и Вероника дала себе клятву: живой из Виллете она не выйдет. Лучше покончить со всем сейчас, пока еще есть силы и решимость умереть.

То и дело погружаясь в глубокий сон, при всяком очередном пробуждении она отмечала, как тает гора окружающей койку аппаратуры, как тело становится теплее, как меняются лица медсестер, но одна из них всегда дежурит рядом с ней. Сквозь ширмы доносился чей-то плач, стоны, спокойно и методично что-то диктовали полушепотом чьи-то голоса. Время от времени где-то жужжал какой-то аппарат и по коридору неслись быстрые шаги. В эти минуты голоса теряли спокойствие и методичность, становились напряженными, отдавали поспешные приказания.

При очередном пробуждении дежурившая у койки очередная медсестра спросила:

— Не хотите ли узнать о своем состоянии?

— Зачем? Мое состояние мне и так известно, — ответила Вероника. — Только это не имеет отношения к тому, что происходит с моим телом. Вам этого не понять — это то, что сейчас творится в моей душе.

Медсестра явно хотела что-то возразить, но Вероника притворилась, что уже спит.

Когда Вероника снова открыла глаза, то обнаружила, что лежит уже не в закутке за ширмами, а в каком-то просторном помещении — судя по всему, больничной палате. В вене еще торчала игла капельницы, но все прочие атрибуты реанимации исчезли.

Рядом с койкой стоял врач — высокого роста, в традиционном белом халате в контраст нафабренным усам и шевелюре черных волос, столь же явно крашеных. Из-за его плеча выглядывал с раскрытым блокнотом в руках молодой стажер-ассистент.

— Давно я здесь? — спросила она, выговаривая слова медленно и с трудом, едва не по слогам.

— В этой палате — две недели, после пяти дней в отделении реанимации, — ответил мужчина постарше. — И скажите спасибо, что вы еще здесь.

При последней фразе по лицу молодого человека пробежала странная тень — не то недоумения, не то смущения, — и Вероника сразу насторожилась: что еще? Какие еще придется вытерпеть муки? Теперь она неотрывно следила за каждым жестом, за каждой сменой интонации этих двоих, зная, что задавать вопросы бесполезно, — лишь в редких случаях врач скажет больному всю правду, — а значит, остается лишь самой постараться выведать, что с ней на самом деле.

— Будьте добры, ваше имя, дата рождения, семейное положение, адрес, род занятий, — произнес старший.

С датой рождения, семейным положением и родом занятий, тем более с собственным именем, не было ни малейшей задержки, однако Вероника с испугом заметила, что в памяти появился пробел — не удавалось вспомнить точный адрес.

Врач направил ей в глаза лампу, и вдвоем с ассистентом они долго там что-то высматривали. Потом обменялись беглыми взглядами.

— Это вы сказали дежурившей ночью медсестре, будто нам все равно не увидеть то, что у вас в душе? — спросил ассистент.

Такого Вероника что-то не могла припомнить. Ей вообще с трудом давалось осознание того, что с ней случилось и почему она здесь.

— Вероятно, вы еще под действием успокоительного — оно в обязательном порядке входит в курс реанимации, — а это могло в какой-то мере повлиять на вашу память. Но прошу вас, постарайтесь ответить на все, о чем мы будем спрашивать, по возможности точно.

И оба принялись по очереди задавать ей какие-то совершенно дурацкие вопросы: как называются крупнейшие люблянские газеты, памятник какому поэту стоит на главной площади (ну, уж этого она не забудет никогда: в душе любого словенца запечатлен образ Прешерна), какого цвета волосы у ее матери, как зовут ее сотрудников, какие книги чаще всего берут у нее в библиотеке читатели.

Вначале Вероника хотела было вообще не отвечать, — ведь в самом деле голова была еще как в тумане. Но от вопроса к вопросу память прояснялась, и ответы становились все более связными. В какой-то момент ей подумалось как бы со стороны, что, если она находится в психбольнице — а похоже, что это именно так, — то ведь сумасшедшие совершенно не обязаны мыслить связно. Однако для своего же блага, чтобы убедить, что они имеют дело отнюдь не с сумасшедшей, — а еще желая вытянуть из них побольше о своем состоянии, — Вероника постаралась отвечать вполне добросовестно, напрягая память в усилиях извлечь из нее те или иные факты, сведения, имена. И, по мере того как сквозь пелену забвения пробивалась ее прежняя жизнь, восстанавливалась сама личность Вероники, ее индивидуальность, ее предпочтения, вкусы, оценки, ее мировосприятие, ее видение жизни, — и мысль о самоубийстве, совсем недавно, казалось, навсегда похороненная под несколькими слоями транквилизаторов, вновь всплыла на поверхность.

— Ну, на сегодня хватит, — сказал наконец тот, что постарше.

— Сколько еще мне здесь находиться?

Тот, что помоложе, отвел глаза, и она буквально кожей почувствовала, как все повисло в воздухе, словно с ответом на этот вопрос перевернется страница, и с нею вся жизнь будет переписана заново, причем безвозвратно.

— Говори, не стесняйся, — сказал старший. — Здесь уже ходят всякие сплетни, так что и ее ушам их не миновать. В этом заведении ничего не утаить.

— Ну, что сказать, — вы сами определили свою судьбу, — со вздохом вымолвил молодой человек, тщательно взвешивая каждое слово. — Теперь настало время узнать, каковы последствия того, что вы натворили. В такой лошадиной дозе снотворное привело к коме, а длительное пребывание в коме, тем более в столь глубокой, представляет прямую угрозу сердечной деятельности, вплоть до ее прекращения. Вот вы и заработали некроз... Некроз желудочка...

— Да ты без экивоков, — сказал старший. — Говори прямо.

— Словом, вашему сердцу нанесен непоправимый ущерб, а это означает... что оно скоро перестанет биться. Сердце остановится.

— И что это значит? — спросила она в испуге.

— Только одно: физическую смерть. Не знаю, каковы ваши религиозные убеждения, но...

— Сколько мне осталось жить? — перебила Вероника.

— Дней пять, от силы неделю.

За всей его отстраненностью, за всем напускным профессиональным сочувствием сквозило откровенное удовольствие, которое этот парень получал от собственных слов, словно оглашенный им приговор — примерное и вполне заслуженное наказание, чтоб впредь и прочим неповадно было.

За свою жизнь Вероника не раз имела случай убедиться, что многие люди о несчастьях других говорят так, будто всеми силами желали бы им помочь, тогда как на самом деле втайне испытывают некое злорадство, — ведь на фоне чужих страданий они чувствуют себя более счастливыми, не обделенными судьбой. Таких людей Вероника презирала, потому и сейчас не собиралась предоставлять этому юнцу возможность, изображая сострадание, самоутверждаться за ее счет.

Вероника пристально посмотрела на него. И улыбнулась.

— Значит, я все-таки добилась своего.

— Да, — прозвучало в ответ.

Но от его самодовольства, от упоения собой в роли принесшего трагические вести не осталось и следа.

Однако ночью пришел настоящий страх.
Одно дело — быстрая смерть
от таблеток, и совсем другое —
ждать смерти почти неделю,
когда и так уже совершенно истерзана тем,
что довелось пережить.

Всю свою жизнь она прожила в постоянном ожидании чего-то: возвращения отца с работы, письма от любовника, которое все никак не приходит, выпускных экзаменов, поезда, автобуса, телефонного звонка, начала отпуска, конца отпуска. Теперь приходится ждать смерти, встреча с которой уже назначена.

Только со мной могло такое случиться. Обычно ведь умирают как раз в тот день, когда нет даже мысли о смерти.

Нужно выбраться отсюда. Нужно снова раздобыть таблетки, а если не получится, и останется единственный выход — броситься с крыши, она пойдет и на это. Здесь уж не до родителей, не до их душевных терзаний, если выбора нет.

Она приподняла голову и огляделась. Все койки были заняты спящими, откуда-то доносился громкий храп. На окнах виднелись решетки. Отбрасывая причудливые тени по всей палате, в дальнем ее конце, у выхода, горел ночник, обеспечивавший неусыпный надзор за пациентами. У ночника женщина в белом халате читала книгу.

Какие культурные эти медсестры. Все время только и делают, что читают.

Веронике отвели место в самом дальнем углу: отсюда до медсестры, углубившейся в чтение, было десятка два коек. На то, чтобы подняться с постели, ушли все силы — ведь уже почти три недели, если верить словам врача, Вероника была лишена всякого движения.

Подняв глаза, медсестра увидела, как с капельницей в руке приближается та, кого недавно привезли из реанимации.

— Я в туалет, — прошептала она, боясь разбудить других обитателей палаты.

Медсестра кивнула в сторону выхода. Вероника лихорадочно соображала, где бы тут найти лазейку, как бы незаметно выскользнуть из больничных стен.

Нельзя откладывать, пока они уверены, что я еще слишком слаба и не вздумаю трепыхаться.

Она окинула все вокруг напряженно-внимательным взглядом. Туалет оказался тесной кабинкой без двери. Чтобы выскочить из палаты, не оставалось бы ничего иного, кроме как схватить дежурную и, одолев ее, завладеть ключом, но для этого Вероника была слишком слаба.

51

— Это что — тюрьма? — спросила она.

Дежурная отложила книгу и теперь неотрывно следила за каждым движением Вероники.

— Нет. Это клиника для душевнобольных.

— Но я не сумасшедшая.

Женщина рассмеялась.

— Ну да, все здесь так говорят.

— Ну хорошо, пусть я сумасшедшая. Но что это значит?

Женщина сказала Веронике, что ей нельзя подолгу быть на ногах, и велела снова лечь в кровать.

— Что значит быть сумасшедшей? — настаивала Вероника.

— Об этом спросите завтра у врача. А сейчас — спать, не то придется дать вам успокоительное, хотите вы этого или нет.

Пришлось сдаться, и Вероника поплелась обратно. Уже возле своей койки она услышала шепот:

— Вы что — в самом деле не знаете, что такое сумасшествие?

Первым побуждением было вообще сделать вид, что не расслышала: не хватало еще и в психушке заводить знакомства, искать единомышленников и соратников в сопротивлении местным властям.

На уме у Вероники было лишь одно: смерть. Если убежать невозможно, она постарается здесь же покончить с собой — и чем скорей, тем лучше.

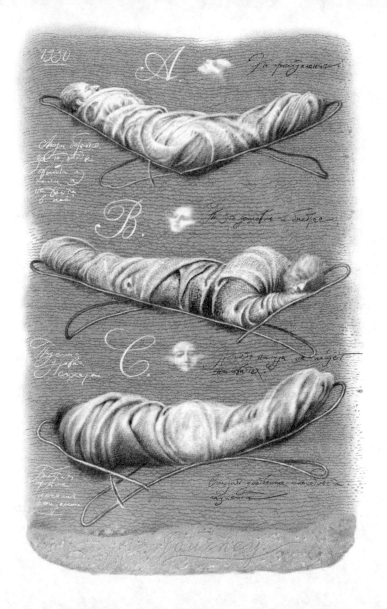

Но вопрос был тот же, который она сама задала дежурной.

— Вы не знаете, что значит быть сумасшедшей?

— Вы кто?

— Меня зовут Зедка. Идите к себе в кровать. Нужно усыпить внимание дежурной, а потом постарайтесь незаметно пробраться сюда.

Вероника вернулась к себе в кровать и подождала, пока дежурная снова углубилась в чтение. Что значит быть сумасшедшей? У нее было весьма смутное представление на сей счет, поскольку само это слово употребляют кому как вздумается: говорят, например, про спортсменов, что только ненормальные могут так себя гробить в погоне за рекордами. Или про художников — что только у полоумных бывает такая сумбурная жизнь, в которой нет ничего постоянного, ничего надежного, да и сами художники не знают, чего от себя ждать. Ну и, кроме того, на улицах Любляны случалось видеть посреди зимы слишком легко одетых людей, которые разглагольствовали о конце света и повсюду таскали за собой раздвижные тележки, груженные картоном и тряпьем.

Спать ей не хотелось. По словам врача, она проспала почти целую неделю — слишком долго для человека, привыкшего к жизни без сильных переживаний, но с жестким графиком отдыха.

Что такое сумасшествие? Наверное, лучше спросить кого-нибудь из душевнобольных.

Вероника сползла с койки на пол, присела на корточки и, вытащив из вены иглу, стала пробираться туда, где лежала Зедка, борясь с подступающей тошнотой — побочным следствием не то заработанного некроза, не то усилий, которые сейчас от нее требовались.

— Я не знаю, что значит быть сумасшедшей, — прошептала Вероника. — Я не сумасшедшая. Я лишь неудавшаяся самоубийца.

— Сумасшедший — это тот, кто живет в своем особом мире. Как, к примеру, шизофреники, психопаты, маньяки. То есть те, кто явно отличаются от других.

— Как вы, например?

— Кстати, — продолжала Зедка, пропустив реплику мимо ушей, — вы наверняка слышали об Эйнштейне, который говорил, что нет пространства и времени, а есть их единство. Или о Колумбе, который настаивал на том, что по другую сторону океана — не бездна, а континент. Или об Эдмонде Хиллари, который был убежден, что человек может взойти на вершину Эвереста. Или о «Битлз», которые создали другую музыку и одевались словно люди совершенно иной эпохи. Все эти люди, и тысячи других, тоже жили в своем особом мире.

Эта сумасшедшая говорит разумные вещи, — подумала Вероника, вспомнив истории, которые ей рассказывала мать, — о святых, утверждавших, что они разговаривали с Иисусом или Девой Марией. Они тоже жили в другом мире?

— Я видела здесь, в Любляне, как по улице шла женщина с остекленевшими глазами, одетая в красное платье с декольте, а на термометре было 5 градусов мороза. Я решила, что она пьяна, и хотела помочь ей, но она отказалась взять мою куртку. Наверное, в ее мире было лето; ее сердце было горячим от желания кого-то, кто ее ждет. И пусть этот другой — лишь плод ее воображения, но разве она не имеет права жить и умереть, как ей хочется?

Вероника не знала, что сказать, но слова этой сумасшедшей женщины были разумны. Кто знает, не она ли была той женщиной, которая полуголой вышла на улицы Любляны?

— Я расскажу вам одну притчу, — сказала Зедка. — Могущественный колдун, желая уничтожить королевство, вылил в источник, из которого пили все жители, отвар волшебного зелья. Стоило кому-нибудь глотнуть этой воды — и он сходил с ума.

Наутро все жители напились этой воды, и все до одного сошли с ума, кроме короля, у которого был свой личный колодец для него и для его семьи, и находился этот колодец там, куда колдун добраться не мог. Встревоженный король попытался призвать к порядку подданных, издав ряд указов о мерах безопасности и здравоохранения, но полицейские и инспектора успели выпить отравленную воду и сочли королевские решения абсурдом, а потому решили ни за что их не выполнять.

Когда в стране узнали о королевских указах, то все решили, что их властитель сошел с ума и теперь отдает

бессмысленные приказы. С криками они пришли к замку и стали требовать, чтобы король отрекся от престола.

В отчаянии король уже собирался сложить с себя корону, когда его остановила королева, которая сказала: «Давай пойдем к тому источнику и тоже выпьем из него. Тогда мы станем такими же, как они».

Так они и сделали. Король и королева выпили воды из источника безумия и тут же понесли околесицу. В тот же час их подданные отказались от своих требований: если теперь король проявляет такую мудрость, то почему бы не позволить ему и дальше править страной?

В стране воцарилось спокойствие, несмотря на то, что ее жители вели себя совсем не так, как их соседи. И король смог править до конца своих дней.

Вероника рассмеялась.

— Непохоже, что вы сумасшедшая, — сказала она.

— Но это правда, хотя меня и можно вылечить, ведь у меня болезнь простая — достаточно восполнить в организме нехватку одного химического вещества. И все же я надеюсь, что это вещество решит только мою проблему хронической депрессии. Я хочу остаться сумасшедшей, жить так, как я мечтаю, а не так, как хочется другим. Вы знаете, что находится там, за стенами Виллете?

— Там люди, выпившие из одного колодца.

— Совершенно верно, — сказала Зедка. — Им кажется, что они нормальные, поскольку все они поступают одинаково. Я буду притворяться, что тоже напилась той воды.

— Но я-то выпила, и именно в этом моя проблема. У меня никогда не было ни депрессии, ни большой радости, ни печали, которой бы хватило надолго. Мои проблемы такие же, как у всех.

Зедка на какое-то время замолчала.

— Говорят, вы скоро умрете.

Вероника на миг заколебалась: можно ли довериться этой женщине, с которой едва знакома? Наверное, следует рискнуть.

— Мне осталось всего пять-шесть дней. Я сейчас думаю, есть ли способ умереть раньше? Если бы вы или кто-нибудь из тех, кто здесь, достали мне нужные таблетки, я уверена, что на сей раз сердце не выдержит. Пожалуйста, попытайтесь понять, как мучительно ждать смерти, и, если есть возможность, помогите мне.

Не успела Зедка ответить, как появилась медсестра со шприцем.

— Самой вам сделать укол или, может, позвать санитаров?

— Не спорьте с нею, — сказала Зедка Веронике. — Берегите силы, если хотите получить то, о чем меня просили.

Вероника поднялась с корточек и, вернувшись к себе на место, сдалась на милость медсестры.

Это был ее первый нормальный день в Виллете, своего рода «выход в свет» — в общество умалишенных. Из палаты Вероника направилась в просторную столовую, где собирались из обоих отделений — женского и мужского. Взяв чашку кофе, про себя Вероника отметила: в отличие от того, что показывают в фильмах про психушки, — скандалы, крики, яростная жестикуляция, непредсказуемые выходки пациентов, — здесь все было погружено в гнетущую атмосферу безмолвного, фальшиво-благостного покоя. Каждый ушел в себя, в свой внутренний мир, куда закрыт доступ посторонним.

После завтрака, который оказался довольно вкусным (впрочем, несмотря на мрачную репутацию Виллете, никто никогда не говорил, что там плохо кормят), больным предписывались «солнечные ванны на свежем воздухе». Между тем солнца сегодня не было, да и холод стоял основательный — температура ниже нуля. В бдительном сопровождении санитаров больные потянулись во двор, в сад, покрытый снегом.

— Я здесь не для того, чтобы сохранить себе жизнь, а чтобы от нее избавиться, — сказала Вероника одному из санитаров.

— Даже если это так, вы все равно должны выйти на улицу и принять солнечную ванну.

— Кто из нас сумасшедший? Ведь там нет никакого солнца!

— Но есть свет, и он благотворно действует на больных. К сожалению, зимы у нас долгие, иначе и работы у нас было бы гораздо меньше.

Спорить было бесполезно; Вероника вышла в сад и прошлась вдоль стены, оглядываясь вокруг и втайне помышляя о бегстве. Стена была высокой, что было типично для старых казарм, но башни для часовых были пусты. По периметру сада располагались здания военного образца, в которых теперь находились мужские и женские палаты, административные помещения, процедурные и ординаторские.

Сразу стало ясно, что единственным по-настоящему укрепленным участком был главный вход — что-то вроде вахты с двумя охранниками, проверявшими документы у каждого, кто бы ни следовал мимо.

Похоже, умственные способности Вероники постепенно возвращались к норме. Для проверки она стала вспоминать всякие мелочи: где оставила ключ от своей комнаты, какой диск недавно купила, какой последний заказ получила в библиотеке.

— Я — Зедка, — сказала оказавшаяся вдруг рядом женщина.

Ночью не удалось рассмотреть ее лицо — весь вчерашний разговор у койки Веронике пришлось просидеть на корточках, не поднимая головы. Назвавшаяся Зедкой была на вид совершенно нормальной женщиной, лет примерно тридцати пяти.

— Надеюсь, укол вам не слишком повредил. Вообще со временем организм привыкает, и успокоительные перестают действовать.

— Я чувствую себя неплохо.

— Наш вчерашний разговор... помните, о чем вы меня просили?

— Конечно.

Зедка взяла ее под руку, и они стали прогуливаться по дорожке среди голых деревьев. За стеной ограды виднелись горы, тающие в облаках.

— Холодно, но утро прекрасное, — сказала Зедка. — Странно, именно в такие пасмурные, холодные дни депрессии у меня никогда не бывало. В ненастье я чувствую, что природа словно в согласии со мной, с тем, что на душе. И наоборот — стоит появиться солнцу, когда на улицах играет детвора, когда все радуются чудесному дню, я чувствую себя ужасно. Такая вот несправедливость: вокруг все это великолепие — но мне в нем места нет.

Вероника осторожно высвободилась. Ей всегда претила фамильярность, она инстинктивно избегала навязываемых физических контактов.

— По-моему, разговор не о том. Вы ведь начали с моей просьбы.

— Ах да. Здесь, в приюте, есть одна особая группа пациентов. Эти мужчины и женщины давно уже могли бы выписаться и преспокойно вернуться домой, но не захотели. И, если подумать, тому есть немало причин — Виллете не так плох, как о нем говорят, хотя, разумеется, здесь далеко не гостиница-люкс. Зато каждый здесь может говорить что вздумается, делать что хочется, не опасаясь вызвать чье-либо недовольство или критику — в конце концов, здесь психбольница. Однако во время официальных ревизий, когда появляется инспекция, участники группы намеренно ведут себя так, будто представляют серьезную угрозу для общества — ведь весьма многие из них здесь за государственный счет. Врачи знают про симуляцию, но, похоже, есть какое-то тайное указание хозяев-соучредителей, заинтересованных в том, чтобы пациентов было побольше. Клиника не должна пустовать — каждый пациент приносит доход.

— И они могут достать таблетки?

— Попробуйте установить с ними контакт. Свою группу, кстати, они называют «Братством».

Зедка указала на светловолосую женщину, оживленно беседовавшую с пациенткой помоложе.

— Ее зовут Мари, она из Братства. Спросите ее.

Вероника двинулась было в ту сторону, но Зедка ее удержала:

— Не сейчас: сейчас она развлекается. Она не прекратит заниматься тем, что доставляет ей удовольствие, лишь для того чтобы оказать любезность незнакомке. Если она будет недовольна, у вас уже никогда не будет шанса к ней приблизиться. «Сумасшедшие» всегда доверяют первому впечатлению.

Вероника рассмеялась над тем, с какой интонацией было сказано «сумасшедшие», но почувствовала при этом смутную тревогу — уж слишком все вокруг казалась нормальным, едва не жизнерадостным. Столько лет подряд жизнь циркулировала в пределах привычного маршрута — с работы в бар, из бара в постель к любовнику, от любовника к себе в монастырскую комнату, из монастыря — в родительский дом, под крылышко матери. И вот теперь она столкнулась с чем-то таким, что ей и не снилось: приют, наблюдение психиатров, санитары...

Где люди не стыдятся говорить, что они сумасшедшие.

Где никто не прекращает делать то, что ему нравится, лишь для того чтобы оказать другому любезность.

Ее вообще охватило сомнение, не издевается ли над нею втайне Зедка, или же это у ненормальных обычное дело — ставить себя выше других, при всяком удобном случае подчеркивая свою избранность — избранность принадлежащих к особому миру — тому, где царит полная свобода безумия. А с другой стороны, если подумать, разве не все равно? Ей во всяком случае выпало пережить некий любопытный и редкий опыт: представьте себе, что вы оказались там, где предпочитают выглядеть сумасшедшими, лишь бы делать что в голову взбредет, пользуясь на этот счет полнейшей свободой.

Едва лишь пришла в голову эта мысль, сердце словно куда-то провалилось. Сразу в памяти вспыхнули слова врача, и недавний невыносимый страх охватил Веронику.

— Мне нужно прогуляться, — сказала она Зедке. — Я хочу побыть одна. — В конце концов, Вероника ведь тоже «сумасшедшая», и, значит, с другими можно не считаться.

Зедка кивнула и отошла в сторону, а Вероника невольно залюбовалась окутанными дымкой горами за стенами Виллете. У нее возникло нечто вроде смутного желания жить, но она решительно его отогнала.

Нужно как можно скорей достать эти таблетки.

Вероника еще раз попыталась обдумать ситуацию, в которую угодила. Ничего хорошего она в ней не находила. Ведь если бы даже ей позволили делать все те безумные вещи, какие позволены сумасшедшим, она бы все равно не знала, с чего начать.

До сих пор она никогда не пыталась совершать ничего безумного.

65

После прогулки все вернулись из сада в столовую, на обед, а после обеда в сопровождении тех же санитаров потянулись в громадный холл, уставленный столами, стульями, диванами — были здесь даже пианино и телевизор, — зал с большими окнами, за которыми низко проплывали серые тучи. Окна выходили в сад, поэтому решетки на них отсутствовали. Ведущие туда же двери были закрыты — за стеклом стоял нешуточный холод, — но чтобы снова выйти на прогулку среди деревьев, стоило лишь повернуть ручку.

Большинство пациентов смотрели телевизор; другие неподвижно глядели перед собою, иные тихо говорили сами с собой — но с кем такого иногда не случалось? Вероника отметила, что самая старшая среди женщин, Мари, теперь оказалась вместе с большой компанией в одном из углов зала. В том же углу прохаживались несколько пациентов, и Вероника попыталась к ним присоединиться — ей хотелось послушать, о чем говорят в компании Мари.

Она как могла придала себе безучастный вид, но, когда оказалась рядом, собеседники Мари замолчали и все как по команде на нее уставились.

— Что вам угодно? — спросил пожилой мужчина, который, вероятно, был лидером пресловутого Братства (если такая группа действительно существует, и Зедка не более безумна, чем кажется).

— Да нет, ничего — я просто проходила мимо.

Все переглянулись и, как-то странно гримасничая, закивали друг другу. Кто-то передразнил ее, с издевкой сказав другому: «Она просто проходила мимо!» Тот повторил погромче, и через несколько секунд уже все они наперебой принялись выкрикивать: «Она проходила мимо! Мимо! Она просто проходила мимо!»

Ошарашенная, Вероника застыла на месте от страха. Один из санитаров — крепкий мрачный детина — подошел узнать, что происходит.

— Ничего, — ответил кто-то из компании. — Она *просто проходила мимо*. Вот она стоит как вкопанная, но на самом деле проходит мимо!

Вся компания разразилась хохотом. Вероника криво улыбнулась, попытавшись изобразить независимый вид, повернулась и отошла, чтобы никто не успел заметить, что глаза ее полны слез. Забыв о куртке, она вышла прямо в заснеженный сад. За нею увязался было какой-то санитар, чтобы заставить вернуться, но затем появился другой, что-то прошептал, и они исчезли, оставив ее в покое — коченеть на холоде.

Надо ли так уж заботиться о здоровье того, кто обречен?

Вероника чувствовала, что вся охвачена смятением, гневом, злостью на саму себя. Впервые она так глупо попалась, притом что всегда избегала провокаций, с ранних лет научившись сохранять хладнокровие, невозмутимо выжидая, пока изменятся обстоятельства. Однако этим умалишенным удалось вывести ее из равновесия, удалось вовлечь в свою подлую игру, когда ее просто захлестнули стыд, страх, гнев, желание растерзать их, уничтожить такими словами, которые даже сейчас язык не поворачивался вымолвить.

Вероятно, то ли таблетки, то ли лечение, которое она проходила для выхода из комы, превратили ее в слабое существо, неспособное постоять за себя. Ведь еще подростком ей случалось с достоинством выходить и не из таких ситуаций, а вот теперь впервые она попросту не могла сдержать слез. Какое унижение! Нет, надо снова стать собой, способной иронически высмеять любого обидчика, сильной, знающей, что она лучше и выше их всех. Кто из этих людишек отважился бы, как она, бросить вызов смерти? Как у них хватает наглости ее учить, если сами они упрятаны в психушку? Да теперь она скорей умрет, чем обратится к кому-нибудь за помощью, пусть даже на самом деле ждать смерти еще почти неделю.

Один день уже сброшен со счета. Остались каких-нибудь четыре-пять.

Она брела по тропинке, трезвея от холода, чувствуя, как он пробирает до костей, и понемногу успокаивается в жилах кровь, уже не так колотится сердце.

Какой позор: я в Виллете, часы мои буквально сочтены, а я придаю значение словам каких-то идиотов, которых вижу впервые и вскоре не увижу никогда. Од-

нако я на них реагирую, я теряю самообладание, во мне просыпается желание и самой нападать, бороться, защищаться. На такую ерунду — тратить драгоценное время!

Так стоит ли тратить силы на борьбу за свое место в этой чужой, враждебной среде, где тебя вынуждают сопротивляться, если ты не хочешь жить по чужим правилам?

Невероятно. Я ведь никогда такой не была. Я никогда не растрачивалась на глупости.

Внезапно она остановилась посреди морозного сада. Не потому ли, что пустяками ей до сих пор казалось *всё*, в конце концов ей и пришлось пожинать плоды того, к чему приводит жизнь, полная пустяков. В юности ей казалось, что делать выбор слишком рано. Теперь, став старше, она убедилась, что изменить что-либо слишком поздно.

И на что же, если подумать, уходили до сих пор ее силы? Она старалась, чтобы все в жизни шло привычным образом. Она пожертвовала многими своими желаниями ради того, чтобы родители продолжали любить ее, как любили в детстве, хотя и знала, что подлинная любовь меняется со временем, растет, открывая новые способы самовыражения. Однажды, услышав, как мать, плача, говорила ей, что ее браку пришел конец, Вероника отправилась на поиски отца, рыдала, угрожала, и наконец вымолила у него обещание, что он никогда не уйдет из дома, даже не представляя себе, какую непомерную цену ее родителям придется за это заплатить.

Решив найти себе работу, она отвергла заманчивое предложение компании, обосновавшейся в Любляне сразу после объявления Словенией независимости, и устроилась в публичную библиотеку, где оклад пусть и небольшой, зато гарантированный. Изо дня в день она ходила на работу по одному и тому же графику, ладила с начальством, оставаясь по возможности незаметной. Ее это устраивало. Она и не пыталась бороться, даже не помышляя о какой-либо карьере: единственное, чего она желала, — это регулярно получать в конце месяца свое жалование.

Комнату она сняла при монастыре, поскольку монахини требовали, чтобы все жильцы возвращались в установленное время, — а потом запирали дверь на ключ. И кто оставался за дверью, должен был спать хоть на улице. Так что у нее всегда была правдивая отговорка для любовников, когда не хотелось проводить ночь в гостинице или в чужой постели.

В редких мечтах о замужестве она рисовала себе небольшую виллу под Любляной, спокойную жизнь с кем-нибудь, кто, в отличие от ее отца, будет зарабатывать достаточно, чтобы содержать семью, и будет доволен уже тем, что вот они сидят вдвоем у горящего камина, глядя на горы, укрытые снегом.

Она научилась доставлять мужчинам строго отмеренную дозу удовольствия — ни больше, ни меньше, а ровно столько, сколько необходимо. Она ни на кого не сердилась, ведь это означало бы необходимость как-то реагировать, бороться со своим обидчиком, а затем того и гляди сталкиваться с какими-нибудь непредвиденными последствиями вроде мести.

И когда всё устроилось почти в полном соответствии ее бесхитростным запросам, обнаружилось, что такая жизнь, где все дни одинаковы, попросту лишена смысла.

И Вероника решила умереть.

Вероника вернулась, закрыла за собой дверь и направилась к той же обособившейся компании. В группе оживленно беседовали, но как только она подошла, воцарилось напряженное молчание.

Твердым шагом она подошла прямо к тому пожилому, которого считала у них лидером, и, не успел никто опомниться, с размаху влепила ему пощечину.

— Ну как, понравилось? — спросила она во весь голос, на весь холл, чтобы слышно было каждому. — Может, дадите сдачи?

— Нет. — Мужчина провел ладонью по лицу, утирая текущую из носу тоненькую струйку крови. — Вам недолго осталось нас здесь беспокоить.

Она вышла из холла и с торжествующим видом направилась в свою палату. Она сделала нечто такое, чего никогда еще не делала в своей жизни.

Прошло три дня после инцидента с группой, которую Зедка называла «Братством». Вероника сожалела о пощечине — не из страха перед какой-то местью со стороны мужчины, а потому, что сделала нечто ей несвойственное. Если вот так увлекаться, то чего доброго можно прийти к выводу, что стоит продолжать жить дальше, а это принесет новую бессмысленную боль, поскольку вскоре — хочешь не хочешь — придется покинуть этот мир.

Единственным выходом сейчас было замкнуться в себе, уйти от людей, от всего мира, чтобы любой ценой оставаться прежней, внешне полностью подчиняясь режиму и правилам Виллете. Вероника вскоре вжилась в обычный распорядок лечебного заведения: ранний подъем, завтрак, прогулка в саду, обед, бездельничанье в холле, снова прогулка, ужин, час-полтора у телевизора, отбой.

Перед отбоем всегда появлялась медсестра с лекарствами. Всем в палате раздавались таблетки, только Веронике делали укол. Укол она принимала безропотно, только однажды спросила, зачем ей столько успокоительного, если на сон никаких жалоб нет. Оказалось, что это не снотворное; для инъекций ей предписано средство, поддерживающее сердечную деятельность.

Итак, Веронику начала засасывать больничная рутина, когда дни похожи как близнецы. А когда они похожи, то сменяются быстрее: еще два-три дня, и отпадет необходимость чистить зубы или причесываться. Вероника заметила, что с сердцем все хуже: все чаще случалась одышка, болело в груди, пропал аппетит, при малейших усилиях кружилась голова.

После инцидента с Братством она порой задавалась вопросом:

Если бы у меня был выбор, если бы я раньше поняла, что мои дни одинаковы потому, что я сама захотела, чтобы они были такими, то тогда, быть может...

Но ответ был всегда один и тот же: *нет никаких «быть может», потому что нет никакого выбора.* И возвращался внутренний покой: все уже предрешено.

В эти дни она подружилась с Зедкой — хотя такие отношения трудно назвать настоящей дружбой, поскольку для ее появления нужно немало времени, а в данном случае это было исключено. Они играли в карты — испытанное средство скоротать время, — и порою в молчании прогуливались вдвоем в саду.

В то утро все после завтрака должны были отправиться в сад, как заведено, принимать «солнечные ванны». Но к Зедке подошел санитар и напомнил, что сегодня у нее «процедуры», так что нужно вернуться в палату.

Это услышала завтракавшая с Зедкой Вероника и спросила:

— Что за «процедуры»?

— Это старый метод, еще с шестидесятых годов, но врачи считают, что он может ускорить мое выздоровление. Хочешь посмотреть?

— Но ты же сказала, что у тебя депрессия. Разве недостаточно просто принимать лекарства, чтобы восполнить нехватку того вещества, про которое ты говорила?

— Так ты хочешь посмотреть? — настаивала Зедка.

Это искушение, — подумала Вероника. — *Тебе не нужно больше узнавать ничего нового. Все, что тебе нужно, — это терпение.* Однако ее любопытство пересилило, и она утвердительно кивнула.

— Вы же знаете, что это не спектакль, — возразил было санитар.

— Она ведь скоро умрет. А что она видела в жизни? Позвольте ей пойти с нами.

В присутствии Вероники Зедку,
продолжавшую улыбаться, привязали
к кровати.

Объясняйте ей то, что происходит, — сказала
Зедка фельдшеру. — Иначе она испугается.

Тот повернулся к Веронике и показал шприц с жид-
костью для инъекции. Казалось, ему доставило удовольствие то, что к нему обращаются как к врачу, который
объясняет стажерам, что следует делать и какие процедуры применять.

— В этом шприце находится доза инсулина, — сказал
он серьезным тоном специалиста. — Его применяют ди-
абетики для борьбы с повышенным процентом сахара в
крови. При этом, когда доза намного выше обычной, па-
дение уровня сахара вызывает состояние комы.

Он слегка нажал на поршень, чтобы выпустить из
шприца воздух, и затем ввел иглу в вену на правой ноге
Зедки.

— Вот что сейчас произойдет. Больная войдет в искусственную кому. Не пугайтесь, если ее глаза остекленеют, и не ждите, что она сможет узнать вас, когда будет находиться под действием лекарства.

— Это ужасно, бесчеловечно. Люди борются за то, чтобы выйти из комы, а не войти в нее.

— Люди борются за то, чтобы жить, а не за то, чтобы совершать самоубийства, — ответил фельдшер, но Вероника проигнорировала явную провокацию. — Состояние комы дает организму передышку; его функции затормаживаются, на время снимаются все блоки.

Говоря, он вводил Зедке жидкость, и ее глаза постепенно теряли блеск.

— Будьте спокойны, — говорила ей Вероника. — У вас все в полном порядке, а та история о короле, которую вы мне рассказали...

— Бесполезно. Она вас уже не слышит.

У лежащей на кровати женщины, которая несколько минут назад сохраняла ясность ума и была полна жизни, теперь глаза были направлены в одну точку, а изо рта текла пенистая жидкость.

— Что вы наделали? — крикнула она фельдшеру.

— Я лишь выполнил свою работу.

Вероника стала звать Зедку, кричать, угрожать полицией, газетами, правами человека.

— Успокойтесь. Хоть вы и в клинике для душевно-больных, но я очень советую вам держать себя в рамках.

Она увидела, что он говорит серьезно, и испугалась. Но поскольку терять ей уже было нечего, она продолжала кричать.

*Оттуда, где она пребывала, Зедка могла
видеть всю палату. Все койки, кроме той,
на которой покоилось ее собственное
связанное тело, были пусты. Рядом стояла
девушка, с ужасом глядевшая на это тело.*

*Вероника не знала, что биологические
функции лежащей перед ней женщины
продолжают действовать безотказно, но
что душа ее в глубоком покое парит
в воздухе, почти касаясь потолка.*

Зедка уже не впервые совершала то, что называется астральным путешествием, но при первой инъекции инсулина это было для нее полнейшей неожиданностью. Тогда она никому об этом не сказала, ведь находилась она в Виллете лишь для того, чтобы излечиться от депрессии, и собиралась навсегда покинуть «приют», как только позволит ее состояние. Если бы она стала рассказывать о своем внетелесном путешествии, все бы подумали, что она еще более безумна, чем когда поступила в больницу. Однако возвратившись в свое тело, она попыталась найти

литературу и об инсулиновом шоке, и о странном ощущении парения в пространстве, и прочла все, что ей удалось достать.

О самой процедуре Зедка нашла немного: впервые она была применена примерно в 1930 году, но в психиатрических больницах была строго запрещена из-за возможности причинить непоправимый вред пациентам. Однажды во время шокового сеанса ее астральное тело посетило кабинет доктора Игоря в тот самый момент, когда он обсуждал эту тему с одним из хозяев приюта.

«Это преступление!» — говорил он.

«Но это дешевле и быстрее! — ответил тот другой человек. — А кроме того, кого интересуют права сумасшедшего? Никто никуда не пойдет жаловаться!»

И все же некоторые врачи рассматривали этот метод как весьма эффективный для лечения депрессии. Зедка прочла все, что могла найти об инсулиновом шоке, и, в первую очередь, рассказы уже прошедших через него пациентов. Истории были всегда одинаковы — сплошные ужасы — и никому из них не пришлось переживать того, что происходило с ней.

Она пришла к выводу — вполне резонному, — что не существует никакой связи между инсулином и ощущением, что сознание покидает тело. Наоборот, направленность такого рода процедур как раз и состояла в том, чтобы снизить умственные способности пациента.

Она заинтересовалась вопросом существования души, прочла несколько книг об оккультизме, и вот однажды наткнулась на обширный пласт литературы, в которой описывалось как раз то, что переживала она: это называлось *путешествиями вне тела*, или *астральными путешествиями*, и многие люди, оказывается, тоже через это прошли. Некоторые из них просто рассказывали, что они при этом чувствовали, тогда как другие даже разработали методики, приводящие к сознательному выходу из тела. Теперь Зедка знала эти техники наизусть и использовала их каждую ночь, чтобы попадать туда, куда ей хотелось.

Рассказы о переживаниях и видениях были разными, но одно было у них общее: странный и раздражающий шум, предшествующий разделению тела и духа, за которым следует толчок, короткая потеря сознания, а затем ощущение умиротворенности и радости от парения в воздухе, когда тонкое тело держится на серебристой нити — нити, которая может растягиваться до бесконечности, хотя некоторые авторы утверждали (теоретически, разумеется), что человек умрет, если эта серебряная нить лопнет.

Ее же опыт показывал, что она может улетать как угодно далеко, а нить не рвется никогда. Но в общем книги оказались весьма ценным подспорьем в освоении задачи научиться извлекать все больше пользы из астрального путешествия. Она узнала, например, что, когда хочешь переместиться из одного места в другое, нужно просто захотеть *спроецироваться* в то место, куда тебе хочется попасть.

В отличие от пути, который проделывают самолеты, чтобы попасть из одной точки в другую, астральное путешествие проходит по таинственным туннелям. Вызвав в своем воображении определенное место, вы с невообразимой скоростью влетаете в такой туннель и сразу же оказываетесь там, куда стремились.

Благодаря книгам она потеряла и страх к живущим в этом пространстве существам. Сегодня в палате не было никого, но, выходя из собственного тела впервые, она обнаружила, что на нее смотрит множество людей, потешающихся над ее изумленным выражением лица.

Вначале она думала, что это души мертвых, призраки, обитающие в больнице. Затем, благодаря книгам и собственному опыту, она поняла, что, хотя по этим местам и странствуют какие-то развоплощенные духи, среди них немало таких же живых, как она, людей — либо освоивших технику выхода из собственного тела, либо не имевших понятия, что с ними происходит. Просто в какой-то точке мира они спали глубоким сном, а в это время их души свободно странствовали по свету.

Сегодня было ее последнее астральное путешествие при помощи инсулина, поскольку она побывала в кабинете доктора Игоря и знала, что он готов ее выписать. Поэтому она решила совершить прогулку по Виллете. Выйдя отсюда, она больше никогда не вернется, даже в обличье духа, поэтому сейчас ей хотелось попрощаться.

Попрощаться. Это было труднее всего: оказавшись в приюте, человек привыкает к существующей в мире безумия свободе, и в итоге становится избалованным. Ему уже не нужно брать на себя ответственность, бороться за хлеб насущный, заботиться о вещах, которые постоянно повторяются и надоедают. Он может часами смотреть на картину или рисовать самые нелепые рисунки. Ко всем подобным проявлениям здесь относятся терпимо, считая их безобидными занятиями для человека, который душевно болен.

Как она сама имела возможность убедиться, состояние большинства пациентов значительно улучшается, как только они попадают в клинику. Ведь им уже не приходится скрывать свои симптомы, а «семейная» атмосфера помогает им *принять* собственные неврозы и психозы.

Вначале Виллете очаровал Зедку, и она уже подумывала о том, чтобы, как только почувствует себя здоровой, присоединиться к Братству. Но ей пришло в голову, что, проявляя некоторую мудрость, она, даже покинув стены приюта, сможет продолжать делать все, что захочет, несмотря на тяготы повседневной жизни. Как кто-то выразился, достаточно лишь сохранять «контролируемое безумие». Плакать, беспокоиться, раздражаться, как любое нормальное человеческое существо, не забывая при этом, что там, наверху, твой дух потешается над всей этой суетой.

Скоро она вернется домой, к детям, к мужу. У этой стороны жизни тоже есть свое очарование. Конечно, ей будет трудно найти работу, ведь в таком небольшом городе, как Любляна, сплетни распространяются быстро, и многим уже стало известно, что она побывала в Виллете. Но ее муж зарабатывал достаточно, чтобы содержать семью, и она могла бы использовать свободное время для того, чтобы продолжать свои астральные путешествия, не прибегая к опасному воздействию инсулина.

И было только одно, чего она не хотела бы вновь испытать в своей жизни, — то, что и послужило причиной помещения ее в Виллете.

Депрессия.

Врачи говорили, что одним из факторов, определяющих душевное состояние человека, является недавно открытое вещество — серотонин. Недостаток серотонина влияет на способность сосредоточиться на работе, спать, есть, радоваться приятным мгновениям жизни. Когда это вещество отсутствует полностью, человек ощущает безнадежность, пессимизм, собственную бесполезность, чрезмерную усталость, мучительное беспокойство, трудности с принятием решений, а затем погружается в безысходную грусть, приводящую к полной апатии или даже самоубийству.

Другие врачи, более консервативные, утверждали, что депрессию вызывают такие резкие перемены в жизни человека, как переезд в другую страну, потеря любимого, развод, чрезмерные нагрузки на работе или неурядицы в семье. Некоторые современные исследования, принимающие во внимание число больных, которые поступали в зимнее и в летнее время, в качестве одной из причин депрессии называли недостаток солнечного света.

В случае же Зедки причина была несколько иной: укрывшийся в ее прошлом мужчина. Или, лучше сказать, фантазия, созданная ею вокруг одного мужчины, с которым она познакомилась много лет назад.

Это было так глупо! Депрессия, безумие из-за человека, даже место проживания которого ей было теперь неизвестно, — мужчины, в которого она в молодости влюбилась до беспамятства. Как и любой нормальной девушке ее возраста, Зедке тоже хотелось пережить опыт Несбыточной Любви.

Только в отличие от своих подруг, которые о Несбыточной Любви лишь мечтали, Зедка решила пойти дальше: попытаться ее испытать.

Он жил по другую сторону океана, и она продала все, чтобы поехать туда и встретиться с ним. Он был женат, она согласилась на роль любовницы, втайне мечтая когда-нибудь стать его женой. У него не было времени даже на себя самого, а она безропотно проводила дни и ночи в номере дешевой гостиницы, ожидая его редких телефонных звонков.

И, хотя во имя любви она готова была вынести любые унижения, все завершилось крахом. Он ни разу ничего не сказал напрямую, но однажды Зедка просто поняла, что перестала быть желанной, и вернулась в Словению.

Несколько месяцев она почти ничего не ела, вспоминала каждый миг с возлюбленным, тысячи раз воскрешая в памяти каждую минуту, проведенную с ним, каждое мгновение радости и наслаждения в постели, пытаясь вспомнить хоть какой-нибудь знак, который давал бы ей надежду на продолжение отношений. Друзья очень беспокоились о ней и звонили каждый день. Но что-то в глубине души подсказывало Зедке, что все пройдет, что за взросление нужно платить соответствующую цену. И она решила заплатить эту цену без сожалений и жалоб.

Так и случилось: однажды утром она проснулась с огромным желанием жить, с жадным удовольствием съела свой завтрак и пошла искать работу.

И нашла не только работу, но и внимание одного красивого и умного молодого человека, внимания которого добивались многие женщины. Год спустя она вышла за него замуж.

Она вызывала зависть и восхищение подруг. Поселились они в уютном доме с садом на берегу реки, протекающей через Любляну. У них родились дети, и на лето они выезжали в Австрию или в Италию.

Когда Словения решила отделиться от Югославии, его призвали в армию. Зедка была сербкой, то есть *врагом*, и ее беззаботная жизнь оказалась под угрозой. В последующие десять дней сохранялось напряжение, войска все время находились в боевой готовности, и никто точно не знал, каковы будут последствия провозглашения независимости, сколько крови понадобится за нее пролить. Именно тогда Зедка в полной мере осознала свою любовь к мужу. Все эти дни она горячо молилась Богу, который до сих пор казался таким далеким, но теперь стал ее един-

ственным спасением: она обещала святым и ангелам все
что угодно — пусть только ее муж вернется живым и
невредимым.

Так и случилось. Он вернулся, дети теперь смогли ходить
в школу, где обучали словенскому языку, а угроза войны
переместилась в соседнюю республику Хорватию.

Прошло три года. Война между Югославией и Хорватией сместилась в Боснию, начали появляться сообщения о зверствах, чинимых сербами. Зедке это казалось
несправедливым — считать преступным тот или иной народ из-за деяний нескольких безумцев. Ее жизнь обрела
неожиданный смысл: она гордо и отважно защищала свой
народ — писала в газеты, выступала на телевидении, ор-
ганизовывала конференции. Все оказалось напрасным —
ведь до сих пор иностранцы считают, что за зверства
несут ответственность «все» сербы. Однако Зедка чувствовала, что исполнила свой долг и не оставила своих
братьев в трудный час. И в этом ее поддерживали муж-
словенец, двое детей и люди, не поддавшиеся на манипу-
ляции пропагандистской машины каждой из сторон.

Как-то пополудни, проходя мимо памятника великому
словенскому поэту Прешерну, Зедка задумалась о его
жизни. Однажды, когда ему было тридцать четыре года,
он вошел в церковь и увидел девушку-подростка Юлию
Примич, в которую влюбился до безумия. Подобно ме-
нестрелям былых времен, он стал посвящать ей стихи,
надеясь, что когда-нибудь она выйдет за него замуж.

Юлия была дочерью крупных буржуа, и, если не считать той мимолетной встречи в церкви, Прешерну так и не удалось к ней приблизиться. Но та встреча вдохновила его на создание его лучших стихов, сделав его имя легендой. На маленькой центральной площади Любляны стоит памятник поэту, и, если проследить за линией его взгляда, можно обнаружить на другой стороне площади высеченное на стене одного из домов женское лицо. Именно там и жила Юлия. Даже покинув этот мир, Прешерн вечно созерцает предмет своей несбыточной любви.

А если бы он продолжал бороться за свою любовь?

И тут сердце Зедки екнуло — это было предчувствие чего-то недоброго. Вероятно, что-то произошло с детьми. Она побежала обратно домой: дети смотрели телевизор и хрустели попкорном.

Однако тревога не прошла. Зедка легла, проспала почти двенадцать часов, а когда проснулась, вставать ей не хотелось. История Прешерна вернула образ человека, который был ее первой любовью, о чьей судьбе у нее больше не было никаких известий.

И Зедка спрашивала себя: *достаточно ли я была настойчива? Я согласилась на роль любовницы, а может быть, нужно было стремиться к тому, чтобы все шло так, как мне самой хотелось? Боролась ли я за свою первую любовь так же самоотверженно, как боролась за свой народ?*

Зедка была убеждена, что так все и было, но грусть от этого не уходила. То, что раньше казалось ей раем — дом у реки, любимый муж, дети, хрустящие попкорном перед телевизором, — постепенно превратилось в ад.

Теперь, после стольких астральных путешествий и стольких встреч с более высокими сущностями Зедка знала, что все это было вздором. Свою Несбыточную Любовь она использовала как оправдание, как предлог, чтобы разорвать узы, связывавшие ее с той жизнью, которую она вела и которая была далеко не тем, к чему она сама стремилась.

Но тогда, двенадцать месяцев назад, все было по-другому: она неистово бросилась на поиски того далекого мужчины, истратив целое состояние на межународные звонки. Но он уже жил в каком-то другом городе, и разыскать его она не смогла. Она слала письма экспресс-почтой, но они возвращались. Связывалась со всеми знакомыми, которые его знали, но никто понятия не имел, где он сейчас и что с ним.

Ее муж ничего не знал, и это сводило ее с ума — ведь ей казалось, что он должен был хотя бы что-нибудь заподозрить, устроить сцену, жаловаться, пригрозить выгнать ее на улицу. Она пришла к заключению, что все международные телефонные станции, почта, подруги, должно быть, подкуплены им, симулировавшим безразличие. Она продала подаренные на свадьбу драгоценности и купила билет за океан, но кто-то убедил ее в том, что Америка — это огромнейшая территория, и не имеет никакого смысла ехать туда, если точно не знаешь, что ты ищешь.

Однажды после обеда она решила прилечь, страдая от любви так, как никогда прежде — даже в те времена, когда ей пришлось вернуться в тоскливую повседневность Любляны. Всю ту ночь и весь следующий день она провела в комнате. А потом еще один. На третий день муж вызвал врача — как он был любезен! Как заботлив! Неужели этот человек не понимал, что Зедка пыталась встретиться с другим, совершить прелюбодеяние, сменить свою жизнь уважаемой замужней женщины на жизнь обыкновенной тайной любовницы, навсегда покинуть Любляну, дом, детей?

Пришел врач. С нею случился нервный припадок, она заперла дверь на ключ и вновь открыла, лишь когда он ушел. Неделю спустя у нее не было желания даже ходить в туалет, и она стала отправлять физиологические надобности в кровати. Она уже не думала, голова была наполнена обрывками воспоминаний о человеке, который — она была убеждена — тоже ее искал, но не мог найти.

Муж, великодушный донельзя, менял ей простыни, гладил по голове, говорил, что все будет хорошо. Дети не появлялись в комнате с тех пор, как однажды она без всякой причины дала одному из них пощечину, а потом встала на колени, целовала ему ноги, моля о прощении, разорвала на себе в клочья ночную рубашку в знак отчаяния и покаяния.

Прошла еще одна неделя, в течение которой она плевала в подаваемую ей пищу, иногда возвращалась в эту реальность и снова покидала ее, целые ночи была на ногах и целыми днями спала. В ее комнату вошли без стука два человека. Один из них держал ее, другой сделал укол, и...

Проснулась она в Виллете.

Депрессия, — говорил врач ее мужу. — Причины порой самые банальные. Например, в ее организме просто может не хватать химического вещества — серотонина.

С потолка палаты Зедка увидела
фельдшера, входящего со шприцем в руке.
Девушка, в отчаянии от ее пустого
взгляда, неподвижно сидела на месте,
пытаясь говорить с ее телом. В какой-то
момент Зедка подумала, не рассказать ли
ей обо всем, что происходит, но затем
передумала. Люди никогда не верят тому,
что им рассказывают, они должны
до всего дойти сами.

Фельдшер сделал ей инъекцию глюкозы, и, словно ведомая огромной рукой, ее душа спустилась с потолка палаты, пронеслась по черному туннелю и вернулась в тело.

— Привет, Вероника.

У девушки был испуганный вид.

— С тобой все в порядке?

— Да. К счастью, мне удалось пережить все эти опасные процедуры, но это больше не повторится.

— Откуда ты знаешь? Здесь никто не считается с желаниями пациентов.

Зедка знала, потому что в астральном теле она побывала в кабинете самого доктора Игоря.

— Я не могу объяснить откуда, я просто знаю. Помнишь первый вопрос, который я тебе задала?

— Да, ты спросила меня, знаю ли я, что значит быть сумасшедшей.

— Совершенно верно. На этот раз я не буду рассказывать никаких историй. Я просто скажу тебе, что сумасшествие — это неспособность передать другим свое восприятие. Как будто ты в чужой стране — все видишь, понимаешь, что вокруг тебя происходит, но не в состоянии объясниться и получить помощь, поскольку не понимаешь языка, на котором там говорят.

— Всем нам приходилось чувствовать такое.

— Просто все мы в той или иной мере сумасшедшие.

*Небо в окне за решеткой было усеяно
звездами, а за горами всходил узкий серп
растущей луны. Поэтам нравилась полная
луна, о такой луне они писали тысячи
стихов, а Вероника любила молодой месяц,
ведь ему было куда расти, прибавляться
в размерах, наполняться светом, прежде
чем он снова неуклонно начнет стареть.*

Е́й хотелось подойти к пианино в холле и отпраздновать такую ночь запомнившейся со времен колледжа прекрасной сонатой. Глядя на небо, Вероника ощущала неописуемую благодать, как будто бесконечность Вселенной доказывала и ее собственную вечность. Но от исполнения желания ее отделяли стальная дверь и женщина, постоянно читавшая свою книгу. Да и кто играет на пианино так поздно, ведь она помешает спать всем вокруг.

Вероника рассмеялась. *Вокруг были палаты, заполненные чокнутыми, а эти сумасшедшие, в свою очередь, напичканы снотворным.*

Между тем ощущение благодати сохранялось. Она встала и подошла к кровати Зедки, но та спала глубоким сном — наверное, непросто прийти в себя после той ужасной процедуры.

— Вернитесь в постель, — сказала медсестра. — Хорошим девочкам снятся ангелочки или возлюбленные.

— Я вам не ребенок. Я не какая-нибудь тихая помешанная, которая всего боится. Я — буйная, у меня бывают истерические припадки, когда мне дела нет ни до собственной жизни, ни до жизни других. А как раз сегодня у меня припадок. Я посмотрела на луну, и мне хочется с кем-нибудь поговорить.

Медсестра покосилась на Веронику, удивленная ее реакцией.

— Вы меня боитесь? — настаивала Вероника. — До смерти мне остались один-два дня. Что мне терять?

— Почему бы тебе, деточка, не прогуляться и не дать мне дочитать книгу?

— Потому что я — в тюрьме, где говорю сейчас с надзирательницей, которая делает вид, будто читает книгу, только для того, чтобы показать, какая она умная, а на самом деле следит за каждым движением в палате и хранит ключи от двери, словно какое-нибудь сокровище. Есть правила для персонала, и она им следует, потому что так может продемонстрировать власть, которой в повседневной жизни, с мужем и детьми, у нее нет.

Вероника дрожала, сама не понимая отчего.

— Ключи? — переспросила медсестра. — Дверь всегда открыта. Какой мне смысл запираться здесь, со сборищем душевнобольных!

Как так — дверь открыта? На днях я хотела отсюда выйти, а эта женщина не сводила с меня глаз до самого туалета. Что она говорит?

— Не принимайте мои слова всерьез, — продолжала медсестра. — На самом деле у нас нет необходимости в строгом надзоре: имеются снотворные. Что это вы дрожите? Замерзли?

— Не знаю. Кажется, что-то неладно с сердцем.

— Если уж вам так хочется — пожалуйста, можете пойти проветриться.

— Честно говоря, мне бы хотелось поиграть на пианино.

— Палаты далеко от холла, так что вы никого не побеспокоите. Играйте, если вам хочется.

Дрожь Вероники перешла в тихие, робкие, приглушенные рыдания. Она стала на колени и, склонив голову на грудь медсестры, расплакалась навзрыд.

Медсестра, отложив книгу, гладила ее волосы, чтобы сама собой прошла волна охватившей Веронику печали. Так они и сидели вдвоем почти полчаса: одна плакала и плакала, другая пыталась ее утешить, не расспрашивая о причине слез.

Наконец рыдания стихли. Медсестра помогла Веронике подняться с колен и под руку довела до двери.

— У меня дочь почти вашего возраста. Когда вас сюда привезли, под всеми этими капельницами, я удивилась, с чего бы это такая красивая, молодая девушка, у которой вся жизнь впереди, вдруг решила покончить с собой. Потом поползли слухи: письмо, которое вы оставили, — мне, кстати, не слишком верится, что оно и есть причина вашей попытки самоубийства, — а также считанные дни, отведенные вам болезнью сердца. У меня из головы не выходила собственная дочь: а вдруг и она решится на что-нибудь подобное?

Откуда вообще берутся люди, которые идут против естественного закона жизни — бороться за выживание любой ценой?

— Вот поэтому я и плакала сейчас, — сказала Вероника. — Приняв таблетки, я хотела убить в самой себе ту, кого презирала. Я не думала о том, что внутри меня есть другие Вероники, которых я так и не сумела полюбить.

— А что заставляет человека презирать самого себя?

— Наверное, трусость. Или вечная боязнь провала, страх не оправдать возложенных на тебя надежд. Ведь еще совсем недавно мне было так весело; я забыла о своем смертном приговоре. А когда снова вспомнила ситуацию, в которую угодила, я ужаснулась.

Медсестра открыла дверь, и Вероника вышла.

97

Как вообще ей в голову пришло о таком спросить? Чего она хочет — понять, почему я плакала? Неужели не ясно, что я совершенно нормальный человек, у меня те же желания и страхи, что и у всех людей, и такой вопрос — учитывая, что дела мои безнадежны, — может попросту повергнуть в отчаяние?

Проходя по коридорам, погруженным в больничный полумрак, Вероника думала о том, что теперь уже слишком поздно: ей не удастся справиться с собственным страхом.

Нельзя терять самообладание. Если уж я на что-то решилась, то нужно идти до конца.

Она и на самом деле привыкла доводить до конца почти все, за что бралась в своей жизни, — хотя касалось это в основном вещей, не имеющих особого значения. Например, бесконечно отстаивала свою правоту там, где достаточно было лишь с улыбкой попросить прощения, или переставала звонить любовнику, как только ей казалось, что их отношения не имеют будущего. Она была непримирима в пустяках, пытаясь доказать самой себе, какая она сильная и справедливая. А ведь на самом деле она была слабой женщиной, никогда не блиставшей ни в учебе, ни на школьных спортивных соревнованиях, ни в стараниях поддерживать порядок в доме.

Она справилась со второстепенными своими проблемами и недостатками, но при этом потерпела поражение в самом главном. Ей удалось создать впечатление о себе как о женщине независимой, в то время как в глубине души она остро нуждалась в обществе. Где бы она ни появилась, взоры тут же устремлялись к ней, и все равно спать она ложилась, как правило, всегда одна, у себя в монашеской келье, под бормотанье телевизора, в котором даже каналы не были толком настроены. На своих знакомых она производила впечатление человека, которому все должны завидовать, и при этом растрачивала свою энергию на усилия соответствовать тому образу, который сама для себя создала.

Именно поэтому у нее никогда не оставалось сил на то, чтобы быть самой собой — человеком, которому, как и всем в мире, для счастья нужны другие. Но с другими так трудно! Надо считаться с их непредсказуемыми реакциями, они живут в окружении запретов, ведут себя так же, как и она, делая вид, что им все нипочем. Когда появлялся кто-нибудь с натурой более непосредственной, более открытой, его либо сразу же отвергали, либо заставляли страдать, выставляя человеком наивным и недалеким.

Вот и получалось, что, с одной стороны, она просто поражала многих своей силой и решительностью, а с другой — чего она достигла, к чему в итоге пришла? К пустоте. К полному одиночеству. К Виллете. К преддверию смерти.

Вновь нахлынули угрызения совести по поводу попытки самоубийства, но Вероника решительно их отогнала. И тогда она испытала то, чего никогда прежде не позволяла себе чувствовать: ненависть.

Ненависть. Нечто столь же реальное, как эти стены, как пианино в холле, как здешний медперсонал. Она почти осязала разрушительную энергию, исходящую от ее тела. Она открылась навстречу этому чувству, не думая о том, хорошо ли это. К черту самоконтроль, маски, удобные позы — теперь Веронике хотелось прожить оставшиеся два-три дня, отбросив любые условности.

Вначале она дала пощечину мужчине старше себя, потом разрыдалась на груди медсестры, она отказалась угождать Зедке и разговаривать с ней, когда ей хотелось побыть одной, а теперь она могла позволить себе чувствовать ненависть, оставаясь при этом в достаточно трезвом уме, чтобы не приниматься крушить все вокруг, иначе остаток своих дней она провела бы в смирительной рубашке, напичканная транквилизаторами.

В тот момент она ненавидела все. Саму себя, весь мир, стул перед собой, протекающую батарею в одном из коридоров, всех людей — и хороших, и преступников. Она находилась в психиатрической клинике и могла позволить себе чувствовать то, что люди обычно скрывают даже от себя самих, ведь всех нас учат только любить, принимать, идти на компромисс, избегать конфликтов. Вероника ненавидела все, но в первую очередь ненавидела то, как она прожила свою жизнь, не замечая сотен живших в ней самой других Вероник — интересных, безрассудных, любопытных, смелых, отчаянных.

Она обнаружила, что испытывает сейчас ненависть даже к человеку, которого любила больше всех на свете, — к своей матери. Замечательной супруге, которая днем работала, а вечером наводила порядок в доме, жертвуя всем в своей жизни ради того, чтобы дочь получила хорошее образование, научилась играть на фортепиано и на скрипке, одевалась как принцесса, покупала фирменные джинсы и кроссовки, — а себе штопала старое, заношенное за долгие годы платье.

Как это может быть, что я ненавижу собственную мать — ту, от кого всегда получала одну лишь любовь? — в растерянности думала Вероника. Ей искренне хотелось испытывать совсем другие чувства. Но было поздно: ненависть уже вырвалась на волю через врата личного ада, настежь распахнутые ею самой. Она ненавидела дарованную ей матерью любовь — именно потому, что такая любовь бескорыстна, а это просто глупо, это противоречит естественному порядку вещей.

Такая любовь, ничего не требовавшая взамен, наполняла девушку чувством вины, необходимостью оправдать возлагавшиеся на Веронику надежды, даже если это означало бы отказ от всего, о чем она мечтала для себя самой. Это была любовь, годами пытавшаяся скрыть соблазны и развращенность этого мира, не считавшаяся с тем, что однажды Веронике придется со всем этим столкнуться лицом к лицу, оказавшись совершенно беззащитной.

А отец? Он тоже вызывал теперь одну лишь ненависть. За то, что, в отличие от матери, которая все время работала, он «умел жить», водил дочь в бары и в театр, они вместе развлекались, и, когда он был еще молод, Вероника, надо сказать, втайне испытывала к отцу не совсем дочернюю любовь. Она ненавидела его за то, что он всегда был так обаятелен, так открыт всему миру, за исключением как раз ее матери — той единственной, которая действительно была достойна лучшей судьбы.

Вероника ненавидела все. Библиотеку, которая была набита книгами, учившими жить, колледж, где приходилось ночи напролет сидеть над алгеброй — и это при том, что она не знала ни единого человека, за исключением разве что профессоров математики, кому для полноты счастья понадобилась бы алгебра. Зачем ее заставляли столько времени зубрить алгебру или геометрию — всю эту груду совершенно бесполезных вещей?

Вероника толкнула дверь в холл, подошла к пианино и, подняв крышку, изо всех сил ударила по клавишам. Безумный аккорд, бессвязный, раздражающий, эхом пронесся по пустому залу, отражаясь от стен и возвращаясь ей в уши пронзительным грохотом, словно раздиравшим ее душу. Но именно это, пожалуй, был лучший портрет ее душевного состояния на данный момент.

Она вновь ударила по клавишам, и вновь все вокруг пронизала и заполнила нестерпимая для слуха какофония.

Я — сумасшедшая. Если я сумасшедшая, то могу себе это позволить. Могу просто ненавидеть, могу даже разбить это пианино вдребезги. С каких это пор душевнобольные должны играть по нотам?

Она ударила по клавишам еще раз, еще пять, десять, двадцать раз, и с каждым ударом ненависть слабела, пока совсем не угасла.

И тогда Веронику охватил глубокий покой, и она вновь взглянула на звездное небо с полумесяцем в ее любимой растущей четверти, наполнявшим мягким светом все вокруг. К ней вновь пришло ощущение, что Бесконечность и Вечность идут рука об руку, и стоит лишь всмотреться в одну из них — безграничную Вселенную, — чтобы заметить присутствие другой Вселенной — Времени, которое никогда не заканчивается, никогда не проходит, неизменно пребывая в Настоящем, где и хранятся все тайны бытия.

Ненависть, захлестнувшая ее в палате и в холле, была такой сильной и глубокой, что теперь в сердце не осталось никакой затаенной злобы. Вероника дала наконец выход всем отрицательным эмоциям, которые годами копились в ее душе. Она действительно *прочувствовала* их, так что теперь они уже не были нужны и могли уйти.

Она сидела в полном безмолвии, переживая свой Настоящий момент, впуская в себя любовь, позволяя ей заполнить пространство, опустошенное ненавистью. Почувствовав, что настало время, она повернулась лицом к ночному небу и сыграла посвященную луне сонату. Она знала, что луна слушает ее сейчас и гордится собой, а звезды ей завидуют. Тогда Вероника сыграла музыку и для звезд, и для сада, и для гор. Ночью гор не было видно, но она знала, что они там, во тьме.

Как раз посреди мелодии для сада в холле появился еще один пациент — Эдуард, неизлечимый шизофреник. Вероника не только не испугалась, но даже улыбнулась ему; к ее удивлению, он улыбнулся в ответ.

И в его далекий мир — дальше самой луны — могла проникать музыка и творить чудеса.

«Надо купить новый брелок», — подумал доктор Игорь, открывая дверь своей маленькой приемной в Виллете. Старый разваливался на части, а украшавшая его маленькая металлическая эмблема только что выпала на пол.

Доктор Игорь нагнулся и ее поднял: герб Любляны. Что с ним делать? Проще всего выбросить. Можно, конечно, отдать брелок в починку — там в два счета сделают новое кожаное колечко, — или подарить внуку, пусть играет. Оба варианта были одинаково дурацкими. Брелок стоил гроши, а внука гербы совершенно не интересуют, он все время торчит перед телевизором или играет в привезенные из Италии электронные игры. Доктор рассеянно сунул брелок в карман, чтобы попозже решить, что с ним делать.

Именно поэтому доктор Игорь был директором клиники, а не ее пациентом: прежде чем принять любое решение, он его тщательно взвешивал.

Доктор включил свет — зима уже наступила, и светало все позже. Недостаток света, наряду с переездами и разводами, был одной из главных причин роста числа случаев депрессии. Доктор Игорь всем сердцем желал, чтобы поскорее настала весна, которая решит половину его проблем.

Он заглянул в блокнот. Сегодня нужно было разработать некоторые меры, чтобы не дать Эдуарду умереть с голоду. Шизофрения сделала его непредсказуемым, и вот теперь он полностью прекратил есть. Доктор Игорь уже назначал ему внутривенное питание, но это не могло продолжаться вечно. Эдуарду было 28 лет, он был крепким молодым человеком, но даже при постоянном вливании глюкозы он в конце концов стал бы тощим, как скелет.

Как отреагирует отец Эдуарда, один из самых известных послов молодой Словенской республики, мастер деликатных переговоров с Югославией начала 90-х? А ведь этот человек годами работал на Белград, пережил своих клеветников, обвинявших его в служении врагу, и оставался в дипломатическом корпусе, но на этот раз представляя другую страну. Это был могущественный и влиятельный человек, которого все боялись.

А с другой стороны, какая разница послу, хорошо или плохо выглядит его сын; не станет же он водить его на официальные приемы или возить с собой по всему свету, куда его назначают представителем правительства. Эдуард находился в Виллете — и останется там навсегда или до тех пор, пока отец будет в состоянии содержать его здесь.

Доктор Игорь решил, что прекратит внутривенное питание и даст Эдуарду еще немного похудеть, пока тот сам не захочет начать принимать пищу. А если состояние ухудшится, он напишет отчет и свалит ответственность на управляющий Виллете медицинский совет. «Если не хочешь навлечь на себя беду, всегда разделяй ответственность», — учил его отец, тоже врач, который, несомненно, нес ответственность не за одну смерть, но при этом никогда не имел неприятностей с властями.

Распорядившись о прекращении процедур для Эдуарда, доктор Игорь перешел к следующему пациенту: в отчете говорилось, что пациент Зедка Мендель уже завершила курс лечения и может быть выписана. Доктор Игорь хотел убедиться в этом лично: ведь нет ничего хуже для врача, чем выслушивать жалобы от семей прошедших через Виллете пациентов. А такое случалось почти всегда — проведя длительное время в приюте для душевнобольных, пациенту редко удавалось снова адаптироваться к нормальной жизни.

И виновата в этом была не клиника. Ведь то же самое происходило во всех подобных больницах — одному Богу известно, сколько их разбросано по белу свету — там столь же остро стояла проблема повторной адаптации пациентов. Точно так же как тюрьма не исправляет преступника, а лишь учит его совершать новые преступления, психиатрические клиники только приучали больных жить в совершенно нереальном мире, где все дозволено и никому не приходится отвечать за свои поступки.

Выход, таким образом, оставался один: открыть Лекарство от Безумия. И доктор Игорь с головой погрузился в реализацию этой затеи, работая над диссертацией, которой предстояло совершить революцию в психиатрии. В больницах временные пациенты, находясь бок о бок с неизлечимыми сумасшедшими, постепенно теряли связь с социумом, и если такой процесс начинался, остановить его было невозможно. Так что некая Зедка Мендель, скорее всего, вернется в больницу, теперь уже по собственному желанию, станет жаловаться на несуществующие недомогания, лишь бы быть рядом с людьми, которые, по ее мнению, понимают ее лучше, чем мир за этими стенами.

Если же открыть способ, как бороться с «Купоросом»[*], — по мнению доктора Игоря именно этот яд был причиной сумасшествия, — его имя войдет в историю, а о существовании Словении наконец-то узнает весь мир. На прошлой неделе ему словно с неба свалился шанс — это была девушка, пытавшаяся покончить с собой. И упускать такую возможность он не пожелал бы ни за какие деньги.

Доктор Игорь был доволен. Несмотря на то что из экономических соображений он пока еще был вынужден допускать методы лечения, осуждаемые медициной, например инсулиновый шок, теперь — также из финансовых соображений — в Виллете занялись введением новшеств в лечение сумасшедших. У него были не только время и

---

[*]   Англ. *Vitriol* — купорос, медный и железный, а также — «яд», «ядовитый сарказм», «язвительность». — *Прим. ред.*

средства для исследования *Купороса*, но и поддержка хозяев в отношении содержания в приюте группы, называемой «Братством».

Акционеры допускали (не поощряли, а именно «допускали») пребывание пациентов в клинике долее необходимого времени. Они аргументировали это тем, что из гуманных соображений выздоровевшему пациенту нужно дать возможность самому выбрать, когда ему лучше всего вернуться в общество. Благодаря этому группа пациентов приняла решение оставаться в Виллете как в гостинице для избранных или в клубе, где собираются по интересам.

Таким образом доктору Игорю удавалось содержать в одном месте сумасшедших и здоровых, и при этом здоровые оказывали положительное влияние на сумасшедших. Во избежание обратного процесса, чтобы сумасшедшие не повлияли отрицательно на тех, кто уже вылечился, каждый из членов Братства должен был выходить из больницы не реже, чем раз в день.

Доктор Игорь знал, что приводимые акционерами доводы в пользу присутствия в больнице излечившихся людей — «из гуманных соображений», как они утверждали, — были лишь отговоркой. Они боялись, что в Любляне, маленькой и очаровательной столице Словении, не найдется достаточного количества богатых сумасшедших, которые были бы в состоянии содержать этот дорогой и современный комплекс. Кроме того, в государственной системе здравоохранения тоже были подобные первоклассные заведения, что ставило Виллете в невыгодное положение на этом рынке душевного здоровья.

Превращая старые казармы в психиатрическую клинику, акционеры рассчитывали, что туда будут попадать мужчины и женщины — жертвы войны с Югославией. Но война длилась совсем недолго. Акционеры сделали ставку на то, что война вернется, но этого не случилось.

А недавние исследования показали, что из-за войны люди сходят с ума гораздо реже, чем от душевного напряжения, скуки, врожденных болезней, одиночества и отверженности. Когда общество сталкивается с крупной проблемой — как, например, в случае войны, или гиперинфляции, или эпидемии, — отмечается небольшое увеличение числа самоубийств, но значительное уменьшение случаев депрессии, паранойи, психозов. Они возвращаются к обычным показателям после того, как данная проблема исчезает. По мнению доктора Игоря, это свидетельствовало о том, что человек позволяет себе роскошь быть сумасшедшим, только когда ему созданы для этого условия.

Перед его глазами лежали результаты другого недавнего исследования, на этот раз проведенного в Канаде, выбранной одной американской газетой в качестве страны с самым высоким в мире уровнем жизни. Доктор Игорь прочел:

Согласно данным *Statistics Canada*, 40% людей в возрасте от 15 до 34 лет, 33% людей в возрасте от 35 до 54 лет, 20% людей в возрасте от 55 до 64 лет уже страдали теми или иными душевными расстройствами. Это значит, что в Канаде каждый пятый страдает от какого-нибудь психического заболевания, и каждый восьмой канадец хотя бы раз в жизни будет по этой причине госпитализирован.

Замечательный рынок, получше нашего, — подумал он. *— Чем счастливее могут быть люди, тем несчастнее они становятся.*

Доктор Игорь рассмотрел еще несколько случаев, тщательно обдумывая, какие из них он должен обсудить с Советом, а с какими может разобраться самостоятельно. Когда он закончил, за окном уже был день, и он погасил свет.

Потом он разрешил войти первой посетительнице — матери пациентки, попытавшейся совершить самоубийство.

— Я мать Вероники. Каково состояние моей дочери?

Доктор Игорь подумал, что нужно сказать правду во избежание неуместных сюрпризов, ведь как-никак у него самого была дочь с таким же именем. И все же он решил, что лучше промолчать.

— Пока не знаем, — соврал он. — Нужно подождать еще неделю.

— Не знаю, почему Вероника это сделала, — говорила сидевшая перед ним женщина, вся в слезах. — Мы всегда были любящими родителями, старались дать ей, сами многим жертвуя, лучшее образование. И хотя у нас были свои супружеские проблемы, семью мы сохранили как пример стойкости перед невзгодами судьбы. У нее есть хорошая работа, сама красавица, и тем не менее...

— ... и тем не менее она попыталась покончить с собой, — прервал ее доктор Игорь. — Не удивляйтесь, любезная, все так и есть. Люди не в состоянии понять, что такое счастье. Если хотите, могу показать вам канадскую статистику.

— Канадскую?

Женщина удивленно на него посмотрела. Доктор Игорь увидел, что ему удалось ее отвлечь, и продолжал:

— Обратите внимание: вы приходите сюда не для того, чтобы узнать, как себя чувствует ваша дочь, а для того, чтобы извиниться за ее попытку самоубийства. Сколько ей лет?

— Двадцать четыре.

— То есть взрослая женщина, с жизненным опытом, которая хорошо знает, чего хочет, и в состоянии сделать свой выбор. Ну и при чем здесь ваши супружеские отношения или жертвы, принесенные вами и вашим мужем? Как давно она живет одна?

— Шесть лет.

— Видите? Самостоятельная до мозга костей. Однако из-за того, что один австрийский врач, доктор Зигмунд Фрейд — я уверен, что вы о нем уже слышали, — написал об этих патологических отношениях между родителями и детьми, до сих пор все на свете родители во всем винят себя. Скажите мне, разве индусы считают, что сын, ставший убийцей, — это жертва воспитания его родителей?

— Понятия не имею, — ответила женщина, все более удивляясь врачу. Наверное, его заразили собственные пациенты.

— А я вам отвечу, — сказал доктор Игорь. — Индусы считают, что виноват сам убийца, а не общество, не родители и не предки. Разве японцы совершают самоубийство оттого, что сыну взбрело в голову попробовать наркотики и выйти пострелять? Ответ тот же: нет! А ведь учтите, японцы совершают самоубийства по любому поводу. На днях здесь же я прочел в газете, что один молодой человек покончил с собой из-за того, что ему не удалось попасть на подготовительные курсы для поступления в университет.

— А не могу ли я поговорить с дочерью? — спросила женщина, которую не интересовали ни японцы, ни индусы, ни канадцы.

— Конечно, конечно, — ответил доктор Игорь, раздраженный тем, что его прервали. — Но прежде я хочу, чтобы вы поняли одно: за исключением некоторых тяжелых патологических случаев, люди сходят с ума, когда *пытаются уйти от рутины*. Вы понимаете?

— Понимаю, и очень хорошо, — ответила она. — И если вы считаете, что я не смогу о ней как следует заботиться, можете быть спокойны: я *никогда* не пыталась изменить собственную жизнь.

— Ну хорошо. — Доктор Игорь, казалось, почувствовал некоторое облегчение. — Вы можете представить себе мир, в котором, к примеру, у нас отпала необходимость изо дня в день повторять одни и те же действия? Если бы мы решили, например, есть только тогда, когда голодны, как бы тогда организовали свою работу домохозяйки и рестораны?

Нормальнее было бы есть только тогда, когда голоден, — подумала женщина, но ничего не сказала, опасаясь, что ей запретят говорить с Вероникой.

— Была бы сплошная неразбериха, — сказала она. — Я сама домохозяйка и понимаю, что вы имеете в виду.

— Поэтому мы каждый день завтракаем, обедаем и ужинаем. Просыпаемся ежедневно в определенное время и отдыхаем раз в неделю. Есть Рождество, чтобы дарить подарки, и Пасха, чтобы на три дня выехать на озеро. Вам бы понравилось, если бы ваш муж, охваченный внезапным порывом страсти, решил заняться любовью прямо в гостиной?

О чем говорит этот человек? Я пришла сюда, чтобы увидеть свою дочь!

— Я была бы ужасно смущена, — осторожно ответила она, надеясь, что угадала.

— Прекрасно! — воскликнул доктор Игорь. — Место для занятий любовью — это постель. А поступая иначе, мы будем показывать дурной пример и сеять анархию.

— Я могу увидеть свою дочь? — прервала его женщина.

Доктор Игорь сдался. Этой крестьянке не дано понять, о чем он говорит, ее не интересовало обсуждение сумасшествия с философской точки зрения, хотя ей было известно, что ее дочь попыталась из чувства собственного достоинства покончить с собой и вошла в кому.

Зазвенел звонок и появилась его секретарша.

— Пусть позовут ту девушку, которая хотела совершить самоубийство, — сказал он. — Которая написала в газеты, что покончит с собой ради того, чтобы все узнали, где находится Словения.

*Я не хочу ее видеть. Я уже разорвала узы,
соединявшие меня с миром.*

Трудно было произносить
это в присутствии всех, в
холле. Но ведь и санитар был не слишком тактичен,
объявив во всеуслышание, что ее ждет мать, как будто
этот вопрос кого-то интересует.

Веронике не хотелось видеть мать, поскольку это означало бы страдания для обеих. Лучше ей было бы считать дочь мертвой. Вероника всегда ненавидела про-
щания.

Санитар исчез за дверью, а она снова стала смотреть
на горы. Неделю не было солнца, и вот оно появилось. О
том, что так будет, Вероника знала еще накануне ночью,
об этом ей сказала луна, когда она играла на пианино.

*Нет, это безумие, я теряю контроль. Звезды не
разговаривают, разве что с теми, кто называют себя
астрологами. Если луна с кем-то и говорила, то с тем
шизофреником.*

Едва успев подумать об этом, Вероника почувствовала
острую боль в груди, а одна рука у нее онемела. Потолок
закружился перед глазами.

Сердечный приступ!

Она ощутила некую эйфорию, как будто смерть освобождала ее от необходимости бояться умереть. Скоро все кончится! Может быть, она почувствует какую-то боль, но что такое пять минут агонии в сравнении с вечностью покоя? Она поспешила закрыть глаза: больше всего в фильмах ее пугали мертвецы с открытыми глазами.

Однако сердечный приступ оказался вовсе не тем, чего она ожидала. Ей стало трудно дышать, и в ужасе Вероника поняла, что вот-вот ей предстоит пережить то, чего она больше всего боялась: удушье. Она умрет так, будто ее хоронят заживо или внезапно затаскивают на дно морское.

Она пошатнулась, упала, почувствовала сильный удар в лицо, продолжала предпринимать гигантские усилия, чтобы дышать, но воздух не входил. Хуже того — смерть не приходила; Вероника полностью осознавала происходящее вокруг, видела все те же цвета и формы. Ей было трудно только слышать окружающих: крики и восклицания раздавались где-то вдалеке, как бы доносясь из другого мира. Все же остальное было реально — воздух не вдыхался, он попросту не слушал команд ее легких и мышц, и сознание ее не покидало.

Она почувствовала, что кто-то приподнял ее и положил на спину, но теперь не было контроля над движениями глаз, они вращались, посылая в мозг сотни разных образов, и к ощущению удушья примешивалось полное расстройство зрения.

Вскоре сами образы тоже отдалились, и, когда агония достигла своей высшей точки, наконец вошел воздух, причем с таким ужасным шумом, что все в холле застыли от страха.

У Вероники началась непроизвольная рвота. Когда худшее осталось позади, некоторые сумасшедшие стали смеяться над происходящим, и она почувствовала себя униженной, растерянной, беспомощной.

Вбежала медсестра и сделала ей укол в руку.

— Успокойтесь. Все уже прошло.

— Я не умерла! — закричала она, обернувшись к пациентам. — Я все еще вынуждена торчать в этой паршивой богадельне вместе с вами! Проходить сквозь тысячу смертей каждый день, каждую ночь, и никто меня не пожалеет!

Она повернулась к медсестре, выхватила у нее шприц и швырнула в окно.

— Что вам от меня нужно? Почему вы не дадите мне яд, зная, что я и так обречена? Где ваше сострадание?

Совершенно не владея собой, она снова села на пол и расплакалась навзрыд; она кричала, громко всхлипывала, а некоторые из пациентов смеялись, потешаясь над ее заблеванной одеждой.

— Дайте ей успокоительное! — сказала вбежавшая женщина-врач. — Держите ситуацию под контролем!

Между тем медсестра стояла как вкопанная. Женщина-врач снова вышла, вернулась с двумя санитарами-мужчинами и с новым шприцем. Мужчины схватили бьющуюся в истерике посреди холла бедняжку, а женщина ввела до последней капли в вену испачканной руки успокоительное.

Она лежала в кабинете доктора Игоря на белоснежной кушетке, укрытая чистой простыней.

Доктор прослушивал ее сердце. Она притворилась, что еще спит, но что-то у нее в груди изменилось, и врач бормотал с уверенностью, что его слышат.

— Успокойтесь. С таким, как у вас, здоровьем вы проживете сто лет.

Вероника открыла глаза. Ее кто-то переодел. Неужели это был доктор Игорь? Он видел ее голую? С ее головой что-то было не в порядке.

— Что вы сказали?

— Я сказал, чтобы вы успокоились.

— Нет. Вы сказали, что я проживу сто лет.

Врач отошел к столу.

— Вы сказали, что я проживу сто лет, — повторила Вероника.

— В медицине не бывает ничего определенного, — уклонился он от ответа. — Все может быть.

— А как мое сердце?

— Все так же.

Больше ей не нужно было ничего. При тяжелом состоянии больного врачи говорят: «Вы проживете сто лет», или «ничего серьезного», или «у вас сердце и давление как у ребенка», или еще «вас нужно снова обследовать». Похоже, они боятся, что пациент разнесет вдребезги кабинет.

Она попыталась подняться, но не смогла: вся комната закружилась у нее перед глазами.

— Полежите еще немного, пока не почувствуете себя лучше. Вы мне не мешаете.

Какой добрый, — подумала Вероника. — *А если бы мешала?*

Как и подобает опытному врачу, доктор Игорь выдержал паузу, притворившись, будто занимается разложенными на столе бумагами. Когда перед нами другой человек молчит, это нас раздражает, создает напряженность, становится невыносимым. Доктор Игорь надеялся, что девушка первой нарушит молчание и тем самым предоставит ему новые данные для его диссертации о сумасшествии и методе лечения, над которым он работал.

Но Вероника не проронила ни слова. *Наверное, сейчас у нее высокая степень отравления Купоросом,* — подумал доктор Игорь и решил нарушить молчание, которое начинало раздражать, создавало напряженность, становилось невыносимым.

— Вы, кажется, любите играть на пианино, — сказал он, стараясь сохранять полную невозмутимость.

— А сумасшедшие любят слушать. Вчера один просто оторваться не мог.

— Эдуард. Он кому-то говорил, что восхищен. Кто его знает, а вдруг снова начнет питаться как нормальные люди.

— Шизофреник любит музыку? И обсуждает это с другими?

— Да. И я готов поспорить, что вы сами понятия не имеете, о чем говорите.

Этот врач с выкрашенными в черный цвет волосами, скорее напоминавший пациента, был прав. Вероника много раз слышала о шизофрении, но действительно понятия не имела, что это означает.

— Его можно вылечить? — поинтересовалась она, пытаясь узнать что-либо новое о шизофрениках.

— Его можно контролировать. Пока еще досконально не известно, что происходит в мире душевнобольных: здесь все новое, с каждым десятилетием меняются методы лечения. Шизофреник — это человек, имеющий естественную склонность отстраняться от этого мира до тех пор, пока, вследствие какого-нибудь события — тяжелого или не очень, — он не создаст реальность, существующую лишь для него одного. Заболевание может протекать в виде полной отстраненности, которую мы называем кататонией, а бывают улучшения состояния, позволяющие пациенту работать, жить практически нормальной жизнью. Все зависит лишь от одного: от окружения.

— Создаст реальность, существующую лишь для него одного, — повторила Вероника. — А что такое реальность?

— Это то, что, по мнению большинства, *должно быть*. Не обязательно лучшее, или более логичное, но приспособленное к коллективному желанию. Вы видите, что у меня на шее?

— Вы имеете в виду ваш галстук?

— Очень хорошо. Ваш ответ — это логичный ответ, типичный для совершенно нормального человека: «Галстук»! А вот сумасшедший сказал бы, что у меня на шее разноцветная тряпка, смешная и бесполезная, завязанная сложным образом, затрудняющая движения головы и требующая дополнительных усилий для того, чтобы в легкие мог входить воздух. Если я отвлекусь, находясь около вентилятора, то могу умереть, поскольку эта тряпка меня задушит.

Если бы сумасшедший спросил меня, для чего нужен галстук, мне бы пришлось ответить: абсолютно ни для чего. Даже не для украшения, поскольку в наше время он превратился в символ рабства, власти, отчужденности. Единственная польза от галстука в том, что можно прийти домой и снять его и получить ощущение, будто мы свободны от чего-то, сами не зная от чего. Но разве чувство облегчения оправдывает существование галстука? Нет. И при этом — если спросить у сумасшедшего и у нормального человека, что это, — здоровым будет считаться тот, кто ответит «галстук». И не важно, кто из них ответит правильно. Важно, кто из них *прав*.

— Итак, вы делаете вывод, что я не сумасшедшая, поскольку дала правильное название разноцветной тряпке?

Нет, ты не сумасшедшая, — подумал доктор Игорь, авторитет в данной области, на стене кабинета которого висело несколько дипломов. Посягать на собственную жизнь присуще человеку. Он знал многих людей, поступавших подобным образом и тем не менее сюда не попадавших. Они казались скромными и нормальными только потому, что не избрали скандальный метод самоубийства. Они убивали себя потихоньку, отравляя себя тем, что доктор Игорь называл *Купоросом*.

Купорос был токсичным продуктом, симптомы присутствия которого он нередко обнаруживал в разговорах со знакомыми ему мужчинами и женщинами. Сейчас он писал на эту тему диссертацию, которую представит на рассмотрение Академии наук Словении. Это будет самый важный шаг вперед в области изучения психических заболеваний с тех пор, как доктор Пинель приказал снять с душевнобольных кандалы, ошарашив медицинский мир открытием, что некоторые из них могут быть излечены.

Подобно либидо — обнаруженной Фрейдом химической реакции, отвечающей за половое влечение, которую, однако, до сих пор не обнаружила ни одна лаборатория, — *Купорос* выделяется организмом человека, переживающего страх. Правда, даже современные спектрографические исследования пока еще не обнаружили ничего подобного. Однако его легко распознать по вкусу — не сладкому, не соленому, а *горькому*. Доктор Игорь — еще не признанный исследователь этого смертельного яда — назвал его по имени ядовитого вещества, которое в прошлом широко применяли императоры, короли и любовники всех мастей, у кого возникала потребность окончательно избавиться от той или иной неудобной персоны.

Золотые это были времена, времена императоров и королей! В те эпохи люди жили и умирали романтично. Убийца приглашал жертву на роскошный ужин, слуга входил с двумя прекрасными чашами, в одной из которых к питью был подмешан купорос. Как трогательны были действия жертвы, бравшей в руку чашу, произносившей несколько любезных или агрессивных слов, с наслаждением выпивавшей содержимое, бросавшей удивленный взгляд на хозяина и мгновенно падавшей на пол!

Однако затем этот яд, который сегодня стоит дорого и который нелегко найти на рынке, был заменен более надежными средствами уничтожения, как-то: пистолетами, бактериями и т. п. Будучи по природе своей романтиком, доктор Игорь извлек на свет Божий полузабытое название, которым и окрестил душевную болезнь, которую ему удалось диагностировать и открытие которой вскоре потрясет мир.

Любопытно, что никто до сих пор не называл *Купорос* смертельным ядом, хотя большинство пораженных им людей определяло его вкус как «*Горечь*». В организме каждого — у кого в большей, у кого в меньшей степени — есть эта *Горечь*, подобно тому как почти у всех есть бацилла туберкулеза. Но и та, и другая болезни переходят в наступление лишь тогда, когда пациент ослаблен. В случае же *Горечи* почва для заболевания возникает, когда появляется страх перед так называемой «реальностью».

У некоторых людей, стремящихся создать реальность, в которую не в состоянии проникнуть никакая внешняя угроза, развиваются в гипертрофированной степени средства защиты от внешнего мира — незнакомцев, новых мест, непривычных переживаний — и их внутренний мир остается беззащитным. И именно здесь *Горечь* начинает причинять непоправимый вред.

Важной мишенью для *Горечи* (или *Купороса*, как предпочитал ее называть доктор Игорь) является *воля*. У людей, страдающих этим недугом, пропадает желание чего бы то ни было, и несколько лет спустя они уже не в состоянии выйти из своего мира. Они растратили огромные запасы энергии, строя высокие защитные стены, чтобы их реальность оставалась той, какой они сами желали ее видеть.

Избегая внешних воздействий, они также ограничивают и свой внутренний рост. Они продолжают ходить на работу, смотреть телевизор, жаловаться на толкучку в транспорте, рожать детей, но все это происходит автоматически, без каких-либо больших внутренних переживаний, поскольку в конечном счете все находится *под контролем*.

Серьезной проблемой в связи с отравлением *Горечью* было то, что страсти — ненависть, любовь, отчаяние, восторг, любопытство — также перестают проявляться. Спустя некоторое время у людей, страдающих *Горечью*, уже не остается никаких желаний. У них нет воли ни жить, ни умереть, и в этом вся сложность ситуации.

Поэтому страдающих *Горечью* людей всегда пленяли герои и безумцы: они не боятся ни жить, ни умирать. И герои, и сумасшедшие равнодушны к опасностям, они идут вперед, хотя все кругом и пытаются их остановить. Сумасшедший совершает самоубийство, герой идет на муки и страдания во имя идеи, но и тот, и другой умирают, а пораженные *Горечью* дни и ночи напролет обсуждают глупость первого и славу второго. Это единственный момент, когда им хватает сил, чтобы вскарабкаться на собственную крепостную стену и выглянуть наружу. Но они тут же ощущают усталость в руках и ногах и возвращаются в повседневность.

Страдающий хронической *Горечью* замечает свою болезнь лишь раз в неделю: по воскресеньям после обеда. Поскольку в это время нет работы или облегчающих симптомы рутинных дел, появляется ощущение, что что-то не так, ведь теперь воцаряется адский покой, время стоит на месте и раздражение проявляется легче, чем когда-либо.

Но наступает понедельник, и вскоре пораженный *Горечью* забывает о своих симптомах, хотя и возмущается, что у него никогда не находится времени на отдых, и жалуется, что выходные пролетают слишком быстро.

Единственное достоинство этой болезни в том, что с социальной точки зрения она уже стала правилом. Поэтому отпала необходимость помещать людей в приют, за исключением тех случаев, когда отравление настолько сильно, что поведение больного становится опасным для окружающих. И все же большинство страдающих *Горечью* могут оставаться дома, не представляя угрозы обществу или другим людям, ведь благодаря возведенным ими же вокруг себя стенам они полностью изолированы от мира, хотя им и кажется, что они — часть его.

Доктор Фрейд открыл либидо и способ лечения связанных с ним болезней благодаря изобретению психоанализа. Доктору Игорю было необходимо не только открыть существование *Купороса*, но и доказать, что в данном случае лечение также возможно. Ему хотелось, чтобы его имя вошло в историю медицины, хотя он и осознавал, что донести до людей свои идеи ему будет непросто, ведь «нормальные» люди довольны своей жизнью и ни за что не признают свою болезнь, а больные являются движущей силой гигантской индустрии психиатрических больниц, лабораторий, конгрессов и т. п.

Я знаю, что сейчас мир не признает моих усилий, — говорил он себе, наполняясь гордостью оттого, что он не понят. Такова в конечном счете цена, которую приходится платить гениям.

— Что с вами? — спросила сидевшая перед ним девушка. — Вы, похоже, вошли в мир своих пациентов.

Доктор Игорь оставил без внимания неуважительное замечание.

— Можете идти, — сказал он.

Вероника не знала, день на дворе или ночь:
доктор Игорь сидел при включенном
освещении, но так было и каждое утро.
Однако выйдя в коридор, она увидела в окне
луну и поняла, что спала дольше,
чем ей казалось.

По пути в палату она заметила висящую на стене в рамке пожелтевшую фотографию: на ней была центральная площадь Любляны — пока еще без памятника поэту Прешерну. По площади прогуливались пары, вероятно, был воскресный день.

Она взглянула на дату снимка: лето 1910 года.

Лето 1910 года. На фотографии были запечатлены в одно мгновение своей жизни люди, детей и внуков которых уже нет на этом свете. На женщинах были неуклюжие платья, все мужчины были в шляпах, пальто, галстуках (или разноцветных тряпках, как их называют сумасшедшие), гамашах и с зонтами.

А жара? Температура, вероятно, была такая же, как и в наше время летом, 35° в тени. Если бы появился какой-нибудь англичанин в узких шортах до колен и жилете —

одежде, которая куда более кстати при такой жаре, — что бы подумали эти люди?

«Сумасшедший».

Она прекрасно поняла, что имел в виду доктор Игорь. И еще она поняла, что в ее жизни всегда было вдоволь любви, нежности, участия, но для того, чтобы обратить все это в счастье, ей недоставало лишь одного: немного сумасшествия.

И ведь родители все равно любили бы ее по-прежнему, но из страха причинить им боль она не осмеливалась заплатить цену, необходимую для осуществления своей мечты. Мечты, которая была спрятана в глубине ее души, но которую то и дело воскрешали концерт или запись прекрасной музыки. А между тем всякий раз, когда ее мечта пробуждалась, чувство безнадежности становилось столь глубоким, что она спешила немедленно вновь его усыпить.

С детства Вероника знала, в чем ее истинное призвание: стать пианисткой.

Она знала об этом с самого первого своего урока музыки, когда ей было двенадцать лет. Учительница считала ее очень талантливой и побуждала стать профессиональным музыкантом. Но между тем, когда она, обрадовавшись победе на конкурсе, сказала матери, что бросит все ради того, чтобы посвятить себя игре на фортепиано, та ласково посмотрела на нее и ответила: «Доченька, игрой на пианино не прокормишься».

«Но ведь именно ты хотела, чтобы я научилась играть!»

131

«Для развития твоих музыкальных способностей, и только. Мужья это ценят, и ты сможешь при случае блеснуть на вечеринке. Так что выбрось-ка ты из головы свое фортепиано и иди учиться на юриста — это профессия будущего».

Вероника поступила так, как просила ее мать, будучи уверена, что у той за плечами достаточно жизненного опыта, чтобы давать правильные советы. Закончила школу, поступила на юрфак, получила диплом юриста с высокими оценками, но в итоге стала всего лишь библиотекарем.

Мне не хватало немного безумия.

Но, как это и происходит с большинством людей, она пришла к этому слишком поздно.

Вероника повернулась, чтобы идти дальше, но тут кто-то осторожно взял ее за руку. Она все еще находилась под воздействием успокоительного, поэтому не стала сопротивляться, когда шизофреник Эдуард увлек ее в другом направлении — в гостиную.

Луна все еще была прибывающей, и Вероника, внимая молчаливой просьбе Эдуарда, уже уселась за пианино, как вдруг из столовой донесся звук мужского голоса. Кто-то говорил там с иностранным акцентом, — ей не доводилось слышать такой в Виллете.

Вероника встала.

— Сейчас, Эдуард, мне не хочется играть на пианино. Мне хочется знать, что происходит в мире, о чем говорят здесь рядом и что это за посторонний человек.

Эдуард улыбался — возможно, не понимая ни единого сказанного ею слова. Но она вспомнила доктора Игоря: шизофреники могут входить в свои отдельные реальности и выходить оттуда.

— Я скоро умру, — продолжала она, надеясь, что ее слова имеют для него смысл. — Сегодня смерть задела крыльями мое лицо, а завтра или чуть позже она постучит ко мне в дверь. Тебе не стоит привыкать каждую ночь слушать пианино. Ни к чему нельзя привыкать, Эдуард. Ты только посмотри: я снова наслаждалась солнцем, горами и даже житейскими проблемами... Я начала понимать, что отсутствие смысла жизни — это только моя вина. Мне хотелось снова увидеть эту площадь в Любляне, чувствовать ненависть и любовь, отчаяние и досаду, все те простые и глупые вещи, без которых жизнь становится такой пресной и скучной.

Если бы как-то можно было отсюда выбраться, я бы позволила себе быть безумной, — ведь безумен весь мир, и хуже всего тому, кто не знает, что он безумец, ведь ему остается лишь повторять то, что говорят другие.

Но это невозможно, понимаешь? Вот и ты тоже не можешь проводить целые дни в ожидании, когда наступит ночь и одна из пациенток сыграет на пианино, — ведь это скоро закончится. И моему миру, и твоему придет конец.

Она встала, нежно прикоснулась к лицу юноши и пошла в столовую.

Открыв дверь, она увидела необычную сцену. Столы и стулья были отодвинуты к стене, а в центре образовавшегося пустого пространства на полу сидели члены Братства, слушая мужчину в костюме с галстуком.

— ...и тогда они пригласили на беседу Насреддина, великого учителя суфийской традиции, — говорил он.

Когда дверь открылась, все посмотрели на Веронику. Мужчина в костюме повернулся к ней.

— Садитесь.

Она уселась на полу рядом со светловолосой женщиной Мари, которая была столь агрессивна во время их первой встречи. К ее удивлению, на сей раз Мари доброжелательно улыбнулась.

Мужчина в костюме продолжал:

— Насреддин назначил лекцию на два часа дня, и вокруг нее возник настоящий ажиотаж: тысяча билетов на места в зале были полностью проданы, а более шестисот человек остались снаружи, чтобы следить за беседой по внутренней телесети.

Ровно в два часа вошел ассистент Насреддина и сообщил, что по непредвиденным обстоятельствам начало беседы переносится. Некоторые возмущенно поднялись, потребовали вернуть им деньги и вышли. Но даже при этом внутри зала и снаружи еще оставалось много народу.

В четыре часа дня суфийского учителя еще не было, и люди начали понемногу покидать зал и получать обратно деньги: как-никак, рабочий день близился к концу, пора было возвращаться домой. Когда наступило шесть часов, из пришедших вначале 1700 зрителей осталось менее сотни.

И тут, пошатываясь, вошел наконец Насреддин. Казалось, он был пьян в стельку и тут же подсел к сидевшей в первом ряду красивой девушке и стал с ней любезничать.

Люди начали подниматься со своих мест, удивляясь и негодуя: как же так, они прождали четыре часа подряд, а теперь этот человек ведет себя подобным образом? Пронесся неодобрительный шепот, но суфийский учитель не придал ему никакого значения: громким голосом он говорил о том, как сексуальна эта девушка, и приглашал ее съездить с ним во Францию.

Хорош учитель, — подумала Вероника. — *На их месте я поступила бы точно так же.*

Выругавшись в адрес людей, которые жаловались, Насреддин попытался встать — и свалился на пол. Возмущенные зрители решили немедленно уйти, они говорили, что все это — не более чем шарлатанство, что они обратятся в газеты, которые напишут об этом унизительном зрелище.

В зале осталось девять человек. И как только группа возмущенных покинула помещение, Насреддин встал. Он был трезв, его глаза излучали свет, от него исходила аура авторитета и мудрости.

«Вы, здесь сидящие, и есть те, кому суждено меня услышать, — сказал он. — Вы выдержали два самых тяжелых испытания на духовном пути: терпение в ожидании момента истины и мужество принимать происходящее без осуждения и оценки. Вас я буду учить».

И Насреддин поделился с ними некоторыми из суфийских техник.

Мужчина сделал паузу и вынул из кармана странного вида флейту.

— Теперь немного отдохнем, а затем приступим к медитации.

Все поднялись. Вероника не знала, что ей делать.

— Ты тоже вставай, — сказала Мари, взяв ее за руку. — У нас пятиминутный перерыв.

— Я уйду, не хочу вам мешать.

Мари отвела ее в угол.

— Неужели ты ничему не научилась, даже на пороге смерти? Перестань постоянно думать, будто ты всем мешаешь! Если кому-то не нравится, он сам пожалуется. А если ему недостает смелости пожаловаться, то это *его* проблема.

— В тот день, когда я подошла к вам, я впервые сделала то, на что прежде ни за что бы не осмелилась.

— И позволила себе смутиться от обыкновенной дурацкой шутки. Почему ты не пошла дальше? Что тебе было терять?

— Собственное достоинство. Оставаться там, где меня не хотят видеть.

— А что такое достоинство? Стремление, чтобы все окружающие считали тебя доброй, воспитанной, исполненной любви к ближнему? Полюби природу. Смотри побольше фильмов о животных и обрати внимание, как они борются за свое пространство. Мы все были рады той твоей пощечине.

У Вероники уже не оставалось времени бороться за какое-либо пространство, и она сменила тему. Она спросила, кто этот мужчина.

— Уже лучше, — рассмеялась Мари. — Задавай вопросы и не бойся, что тебя сочтут нескромной. Этот человек — учитель-суфий.

— Что значит «суфий»?

— Шерсть.

Вероника не поняла. Шерсть?

— Суфизм — это духовная традиция дервишей, в которой учителя не стараются выглядеть мудрыми, а ученики танцуют, кружатся, входят в транс.

— А для чего это нужно?

— Не могу точно сказать. Но наша группа решила пройти по возможности через все необычные переживания. Всю мою жизнь власти учили нас, что духовный поиск существует лишь для того, чтобы заставить человека уйти от своих реальных проблем. А теперь ответь мне: ты не находишь, что попытка понять жизнь — это реальная проблема?

Да. Это была реальная проблема. Вдобавок ко всему теперь Вероника уже не была уверена, что означает слово *реальность*.

Мужчина в костюме — суфийский учитель, как его называла Мари, — попросил всех сесть в круг. Он взял одну из стоявших в столовой ваз и, вынув из нее все цветы, кроме одной красной розы, поставил посередине.

— Подумать только, — сказала Вероника, обращаясь к Мари.— Какой-то сумасшедший однажды решил, что зимой можно выращивать цветы, и вот результат — сегодня у нас в Европе круглый год есть розы. Как вы считаете, суфийскому учителю со всеми его знаниями пришло бы такое в голову?

Мари, казалось, угадала ее мысль.

— Критику оставь на потом.

— Постараюсь. Ведь все, что у меня есть, — это настоящее, а оно так быстро пролетает.

— Это все, что есть у любого человека, и у всех оно быстро пролетает, хотя некоторые считают, что у них есть прошлое, где они накапливали вещи, и будущее, где они накопят их еще больше. Кстати, если говорить о настоящем моменте, ты часто мастурбируешь?

Хотя успокоительное еще действовало, Вероника вспомнила первую услышанную ею в Виллете фразу.

— Когда я попала в Виллете и еще была вся в трубках для искусственного дыхания, я ясно слышала, как кто-то спросил, хочу ли я, чтобы меня помастурбировали. Что это значит? Это у вас здесь навязчивая идея?

— И здесь, и там, снаружи. Только в нашем случае у нас нет необходимости это скрывать.

— Так это вы меня тогда спросили?

— Нет. Но я считаю, что следует знать, насколько далеко ты можешь зайти в своем удовольствии. В следующий раз, проявив немного терпения, ты сама сможешь привести туда своего партнера, вместо того чтобы покорно ждать, куда он приведет тебя. Даже если тебе осталось жить два дня, я считаю, что не стоит уходить отсюда, не познав этого.

— Уж не с тем ли шизофреником, который ждет меня, чтобы послушать пианино?

— Во всяком случае, мальчик он красивый.

Мужчина в костюме попросил тишины, прервав их разговор. Он предложил всем сконцентрироваться на розе и освободить свой ум.

— Мысли будут возвращаться к вам, но старайтесь отгонять их в сторону. Перед вами выбор: либо вы владеете своим умом, либо он владеет вами. По второму варианту вы уже жили: вы позволяли овладевать собой страхам, неврозам, неуверенности, поскольку человеку присуща эта склонность к саморазрушению.

Не путайте безумие с потерей контроля. Помните, что в суфийской традиции главный учитель — Насреддин, — тот, кого все называют безумным. И именно оттого, что в его городе его считают сумасшедшим, Насреддин имеет возможность говорить все, что думает, и делать все, что пожелает. В средневековье так было с придворными шутами. Они могли предупреждать короля обо всех опасностях, которые министры не осмеливались обсуждать из страха лишиться своей должности.

Так должно быть и с вами. Оставайтесь безумными, но ведите себя как нормальные люди. Рискуйте быть *другими*, но научитесь делать это, не привлекая к себе внимания. Сконцентрируйтесь на этом цветке и позвольте проявиться вашему истинному Я.

— А что такое «истинное Я»? — прервала его Вероника.

Наверное, все присутствующие это знали, но это не имело значения: она хотела спросить — и спросила, не беспокоясь о том, чтобы не беспокоить других.

Похоже, мужчина удивился тому, что его прерывают, но ответил:

— Это то, чем вы *являетесь*, а не то, что с вами сделали.

Вероника решила выполнить упражнение, приложив максимум усилий, чтобы открыть, кто она *есть*. За дни, проведенные в Виллете, она пережила вещи, которых никогда до этого не переживала настолько сильно, — ненависть, любовь, желание жить, страх, любопытство. Наверное, Мари была права: разве довелось ей по-настоящему познать тот же оргазм? Или она добиралась лишь до той стадии, куда ее хотели довести мужчины?

Мужчина в костюме заиграл на флейте. Вскоре музыка внесла умиротворение в душу Вероники, и ей наконец удалось сконцентрироваться на розе. Как ни странно, с того момента, когда она покинула кабинет доктора Игоря, она чувствовала себя очень хорошо.

Она знала, что скоро умрет; так к чему же страх? Он ничем не поможет, не позволит избежать рокового сердечного приступа. Лучше всего использовать остающиеся дни или часы, делая то, чего она еще никогда не делала.

Нежные звуки флейты и неяркое освещение создавали почти религиозную атмосферу.

Религия... Почему бы не попытаться погрузиться в себя, чтобы увидеть, что осталось от прежних убеждений, от прежней веры?

Однако музыка уводила Веронику по иному пути: освободить ум, прекратить размышлять о чем бы то ни было, — только БЫТЬ. Вероника покорилась, она созерцала розу, она видела, кто она есть, ей это понравилось, и было жаль, что она была так неосмотрительна.

*Когда медитация закончилась и
учитель-суфий удалился, Мари задержалась
в столовой, беседуя с членами Братства.
Вероника, сославшись на усталость, вскоре
ушла,— ведь принятое в то утро
успокоительное было настолько сильным,
что уложило бы и быка, и даже при этом
ей хватило сил, чтобы до сих пор
оставаться на ногах.*

С молодежью так всегда: она устанавливает собственные пределы, не задаваясь вопросом, выдержит ли организм. И организм всегда выдерживает».

Мари спать не хотелось. Сегодня она спала допоздна, затем решила прогуляться по Любляне: доктор Игорь требовал, чтобы члены Братства каждый день выходили в город. Она отправилась в кино и там, сидя в кресле, опять уснула — шел скучнейший фильм о конфликтах между мужем и женой. Неужели не нашлось другой темы? Зачем каждый раз повторять одни и те же истории — муж с любовницей, муж с женой и больным ребенком, муж с женой, любовницей и больным ребенком? Как будто в мире нет более интересных сюжетов.

Беседа в столовой была непродолжительной. После медитации все находились в расслабленном состоянии и решили вернуться в палаты, за исключением Мари, которая вышла в сад прогуляться. По пути через холл она увидела, что девушка так и не дошла до своей палаты: она играла для Эдуарда-шизофреника, который, наверное, все это время ждал у пианино. Сумасшедшие — как дети, уходят лишь после того, как их желания оказываются исполнены.

Было холодно. Мари вернулась, взяла во что укутаться и вышла снова. Здесь, подальше от людских глаз, закурила. Курила задумчиво и не спеша, размышляя о девушке за пианино, о музыке и о жизни за стенами Виллете, которая для всех становится невыносимо тяжкой.

По мнению Мари, эти трудности были связаны не с беспорядком или неорганизованностью, или анархией, а как раз с избытком порядка. Общество создает все новые правила, а вслед за ними противоречащие этим правилам законы, а затем новые правила, противоречащие этим законам. И люди становятся испуганными и боятся шаг ступить за пределы того, что установлено невидимым распорядком, подчиняющим себе жизнь каждого.

Мари в этом разбиралась. Сорок лет своей жизни, до того, как болезнь привела ее в Виллете, она была адвокатом. Начав свою карьеру, она вскоре избавилась от наивных представлений о Правосудии и поняла, что законы созданы не для решения проблем, а для бесконечного их запутывания в бесконечных судейских тяжбах.

Жаль, что Аллах, Иегова, Бог — как Его ни называть — не жил в сегодняшнем мире. Ведь если бы было так, мы все до сих пор находились бы в Раю, а тем временем Он так и отвечал бы на ходатайства, апелляции, прошения, исполнительные листы, специальные поручения, предварительные распоряжения, — и Ему пришлось бы объяснять в многочисленных инстанциях Свое решение изгнать из Рая Адама и Еву — лишь за нарушение произвольного закона, лишенного какой-либо правовой основы: не вкушать плода с дерева Добра и Зла.

Если Он не хотел, чтобы это произошло, зачем Он поместил такое дерево в центре Сада, а не за стенами Рая? Если бы Мари пришлось защищать чету прародителей, она наверняка обвинила бы Бога в «административном упущении», ведь Он не только поместил дерево в неположенном месте, но и не поставил вокруг него ни предупреждающих знаков, ни ограждений, не приняв даже минимальных мер предосторожности и подвергая опасности всех проходящих.

Мари могла бы обвинить Его и в «подстрекательстве к преступлению»: Он привлек внимание Адама и Евы как раз к тому месту, где находилось дерево. Если бы Он ничего не сказал, поколения за поколениями людей проходили бы по этой Земле и никого бы не заинтересовал запретный плод — ведь росло оно наверняка в обыкновенном лесу, где полно точно таких же деревьев, а потому не имело никакой особой ценности.

Но Бог поступил иначе. Наоборот, Он издал закон и Сам же нашел способ убедить кого-то нарушить его — лишь для того, чтобы придумать Наказание. Он знал, что Адаму и Еве наскучит окружающее их сплошное совершенство и — рано или поздно — им захочется испытать Его терпение. Он только этого и ждал, ведь, наверное, и Ему — Всемогущему Богу — надоело, что все отлажено до совершенства: если бы Ева не вкусила яблоко, что интересного случилось бы за эти миллиарды лет?

Ничего.

Когда же закон был наконец нарушен, Бог — Всемогущий Судья — еще и разыграл преследование, как если бы и в самом деле можно было укрыться от Его Всевидящего Ока. Глядя на это представление, развлекались ангелы (для них жизнь, должно быть, также была скучна с той поры, как Люцифер покинул Небо). Он отправился в путь. Мари представляла себе, как этот отрывок из Библии мог бы превратиться в эффектную сцену в фильме-триллере: приближающиеся шаги Бога, испуганное переглядывание супругов, Его ноги, внезапно останавливающиеся перед укрытием.

«Где ты?» — спрашивает Бог.

«Голос Твой я услышал в раю, и убоялся, потому что я наг, и скрылся», — отвечает Адам, не ведая, что, произнеся данное утверждение, становится преступником, сознавшимся в совершенном деянии.

Готово. С помощью простого трюка, притворившись, будто Он не знает, ни где находится Адам, ни причину его бегства, Бог добился Своего. И при этом, дабы не осталось никаких сомнений у внимательно наблюдавшего за сценой сонма ангелов, Он решил пойти еще дальше.

«Кто сказал тебе, что ты наг?»[*] — спрашивает Бог, зная, что на этот вопрос возможен лишь один ответ: «Потому что вкусил с дерева, которое позволяет мне это понять»[**].

Этим вопросом Бог показал Своим ангелам, что Он справедлив и осуждает супругов на вполне законном основании. С этого момента уже не имело смысла ни допытываться, виновата ли женщина, ни просить о прощении. Богу был нужен один пример для того, чтобы впредь никакое другое существо — земное или небесное — не смело идти против Его установлений.

Бог изгнал супругов, их детям также пришлось расплачиваться за проступок родителей (как до сих пор происходит с детьми преступников), и так была изобретена система правосудия: закон, нарушение закона (логичен он или абсурден — не имело значения), вынесение приговора (где более опытный одерживал победу над более простодушным) и наказание.

И, поскольку все человечество оказалось осуждено без права обжалования приговора, люди решили создать ме-

<hr>

[*]   Быт. 3: 9—11. — *Прим. ред.*

[**]   Срв. Быт. 3: 11—12. — *Прим. ред.*

ханизмы защиты — на тот случай, если Бог снова решит проявить Свое самоуправство. Однако на протяжении тысячелетий исследований люди изобрели столько средств, что в конце концов превысили меру, и теперь Правосудие представляет собой запутанное нагромождение положений, статей, оговорок, противоречивых текстов, в которых никто как следует не разберется.

И что в итоге произошло, когда Бог передумал и решил отправить на спасение мира Своего Сына? Он попал в сети того Правосудия, которое Сам же и изобрел.

Путаница в законах стала такой, что Сын оказался пригвожден к кресту. Судебный процесс был непростой: от Анны к Каиафе, от первосвященников к Пилату, который заявил, что не может осудить Иисуса. От Пилата к Ироду, который в свою очередь заявил, что иудейский закон не допускает смертного приговора. От Ирода снова к Пилату, который попытался подать апелляцию, предложив правовой компромисс: велел отхлестать Иисуса кнутом и возложить Ему на голову терновый венец, — но это не сработало.

Подобно нынешним прокурорам, Пилат решил сделать карьеру за счет осужденного: он предложил обменять Иисуса на Варавву, зная, что уже в те времена правосудие превратилось в большой спектакль, где в финале необходим апофеоз в виде смерти виновного.

И наконец, Пилат применил статью, даровавшую судье — а не тому, кого судят, — право сомнения: он умыл руки, что означает «ни да, ни нет». Это была еще одна хитрость, позволявшая сохранить лицо римской системе правосудия, не нанося ущерба добрым отношениям с местными судейскими, и при этом дававшая возможность перенести бремя решения на народ — такой приговор не вызвал бы никаких неудобств, если бы из столицы Империи нагрянул какой-нибудь инспектор для личной проверки происходящего.

Правосудие. Право. Хотя оно и необходимо для помощи невиновным, далеко не всегда оно работает так, как всем того хотелось бы. Мари была рада находиться вдали от всей этой суматохи, однако этой ночью, услышав игру на фортепиано, она была не столь уверена, является ли Виллете самым подходящим для нее местом.

«Если я пожелаю покинуть это место раз и навсегда, я ни за что больше не стану работать на Правосудие, не буду больше жить рядом с безумцами, которые считают себя важными персонами, при том, что единственная их роль в этой жизни — усложнять жизнь другим. Стану портнихой, швеей или буду продавать фрукты перед городским театром. Довольно с меня. Я уже исполнила свою роль бесполезной безумицы».

В Виллете разрешалось курить, но запрещалось бросать окурки на землю. Мари с удовольствием сделала то, что было запрещено, ведь основное преимущество пребывания здесь и состояло в том, что можно не соблюдать правил, и при этом без серьезных последствий.

Она оказалась у входной двери. Дежурный — там всегда был дежурный, таково правило — приветственно кивнул и открыл дверь.

— Я не буду выходить, — сказала она.

— Прекрасная музыка, — заметил дежурный. — Она играет почти каждую ночь.

— Это скоро закончится, — сказала Мари, быстро удаляясь, чтобы не объяснять причин.

Она вспомнила, что прочла в глазах девушки в тот момент, когда та вошла в столовую. Страх.

Страх. Вероника могла чувствовать неуверенность, робость, смущение, но почему от нее исходил именно страх? Это чувство оправдано лишь перед лицом конкретной угрозы — хищных животных, вооруженных людей, стихийных бедствий, — но вряд ли оно уместно перед лицом всего-то лишь собравшейся в столовой группы пациентов.

Такова природа человека, — утешала она себя. — Большую часть собственных эмоций человек заменяет страхом.

И Мари знала, о чем говорит: ведь именно это привело ее в Виллете — приступы паники.

У себя в комнате Мари хранила целую коллекцию статей о собственном заболевании. Сегодня об этом уже говорили открыто, а недавно она видела программу немецкого телевидения, в которой разные люди рассказывали о своих переживаниях. В этой же программе говорилось о результатах проведенного исследования, согласно которому значительная часть человечества страдает синдромом паники, хотя почти все пытаются скрыть его симптомы из страха, что их сочтут душевнобольными.

Но в то время, когда у Мари был первый приступ, об этом ничего не знали.

Это был ад. Сущий ад, — вспоминала она, закуривая очередную сигарету.

Издали по-прежнему доносились звуки фортепиано: у той, что их извлекала, казалось, хватит сил музицировать ночь напролет.

Само появление этой молодой женщины в лечебнице отразилось на многих пациентах, включая и саму Мари. Вначале Мари старалась ее избегать, боясь, что пробудит в ней желание жить. Было бы лучше, если бы в девушке осталась решимость умереть, поскольку избежать смерти она уже не могла. Доктор Игорь не счел нужным от кого-либо скрывать, что, несмотря на ежедневные инъекции, состояние девушки ухудшается на глазах и спасти ее вряд ли удастся.

До пациентов дошел этот слух, и они держались от обреченной девушки на расстоянии. Но — непонятно почему — Вероника начала бороться за свою жизнь, и только два человека были здесь близки ей — Зедка, которую завтра выписывают и с которой особо не поговоришь, и Эдуард.

Мари нужно было поговорить с Эдуардом: к ней он обычно прислушивался. Неужели он не понимал, что возвращает Веронику в этот мир? И что нет ничего хуже для человека, которого нет надежды спасти?

Она обдумала тысячу возможностей объяснить Эдуарду суть происходящего, но в каждом случае пришлось бы вызвать у него чувство вины, а этого Мари ни за что бы не стала делать. Мари немного подумала и решила оставить все идти своим чередом. Она уже не была адвокатом и не хотела подавать дурной пример, создавая новые законы поведения там, где должна царить анархия.

Но присутствие здесь Вероники оказало влияние на многих, и некоторые были готовы пересмотреть свою собственную жизнь. На одной из встреч Братства кто-то пытался объяснить происходящее: смерть в Виллете приходила либо внезапно, никому не давая времени о ней подумать, либо после долгой болезни, а в этом случае смерть — всегда благо.

Случай же с этой девушкой был драматическим — ведь она была молода, ей вновь хотелось жить, а все знали, что это невозможно. Некоторые задавались вопросом: «А если бы такое случилось со мной? У меня есть шанс жить. Использую ли я его?

Некоторые даже не пытались ответить на этот вопрос. Уже давно они отказались от подобных попыток и жили в мире, где нет ни жизни, ни смерти, ни пространства, ни времени.

Но многие всерьез задумались, и Мари была одной из них.

Вероника оторвалась от клавиш
и посмотрела на Мари за окном, вышедшую
в ночной холод в легкой накидке.
Она что, хочет умереть?

Нет. Это я хотела умереть.

Она снова заиграла. В последние дни жизни она наконец осуществила свою великую мечту: играть от сердца и от души, играть, сколько хочет и когда хочет. И не важно, что ее единственный слушатель — юноша-шизофреник. Главное, что он любит музыку. Только это и было важно.

Music

У Мари никогда не возникало мыслей о самоубийстве. Наоборот, когда пять лет назад в том же кинотеатре, где она была сегодня, ее просто потряс фильм об ужасающей нищете в Сальвадоре, она впервые задумалась о том, какой бесценный дар — ее собственная жизнь. Теперь, когда дети уже повзрослели и определились в профессиональном отношении, она решила бросить бесконечно скучную службу адвоката и посвятить остаток своих дней работе в гуманитарной организации.

В стране изо дня в день ширились слухи о предстоящей гражданской войне, но Мари в это не верила: Европейское Сообщество ни за что бы не позволило разразиться новой войне у самого своего порога.

На другом же краю мира трагедий было хоть отбавляй. И среди этих трагедий был Сальвадор, где дети голодали и были вынуждены заниматься проституцией.

154

— Какой ужас, — сказала она мужу, сидевшему рядом в кресле.

Он кивнул в знак согласия.

Мари давно уже собиралась поговорить с ним, и сейчас, похоже, был подходящий момент.

Ведь у них уже было все, чего только можно пожелать от жизни: образование, прекрасный дом, высокооплачиваемая работа, замечательные дети. Почему бы теперь не сделать что-нибудь ради ближнего? У Мари были связи в Красном Кресте, и она знала, что во многих уголках мира крайне необходима помощь добровольцев.

Она так устала бороться с бюрократами и судебными исками, не имея возможности помочь людям, которые нередко тратили годы своей жизни на решение проблем, не ими созданных. Работа же в Красном Кресте приносила бы непосредственные и зримые результаты.

Она решила, что после киносеанса сразу же пригласит мужа в кафе и там обсудит с ним эту идею.

На экране показывали какого-то сальвадорского правительственного чиновника, который с самым смиренным видом каялся в допущенной им оплошности, и вдруг Мари почувствовала, что сердце колотится как сумасшедшее.

Она тотчас сказала себе: ничего страшного. Наверное, ей просто стало душно от спертого воздуха в зрительном зале. Если не станет лучше, можно выйти отдышаться в вестибюль.

Но новости на экране шли своим чередом, а сердце колотилось все сильнее и сильнее, и тело покрылось холодным потом.

Теперь она по-настоящему испугалась и попыталась сосредоточиться на фильме, стараясь отогнать страх. Однако следить за происходящим на экране было все труднее. Мелькали кадры, и Мари казалось, что она вошла в совершенно иную реальность, где все чуждо, нелепо, неуместно, — в мир, где она никогда ранее не бывала.

— Мне плохо, — сказала она мужу.

Она с трудом решилась-таки произнести эти слова — ведь это означало признать, что с нею в самом деле что-то не в порядке. Но тянуть она больше не могла.

— Наверное, надо выйти, — ответил муж. — Ну-ка, идем.

Помогая Мари подняться, он обнаружил, что ее рука холодна как лед.

— Я не смогу добраться до выхода. Пожалуйста, скажи, что со мной такое?

Муж испугался. Ее лицо было в поту, а глаза лихорадочно блестели.

— Успокойся. Я позову врача.

Мари охватила невыносимая паника. Слова сохраняли смысл, но все остальное — этот кинозал, погруженный во мрак, зрители, сидящие локоть к локтю и словно загипнотизированные светящимся экраном, — все обрело какой-то зловещий подтекст. Она была уверена, что жива, могла даже потрогать жизнь, которая ее окружала, словно та была чем-то твердым. Никогда ранее с ней подобного не происходило.

— Не бросай меня здесь одну. Я сейчас встану, я выйду вместе с тобой. Только иди помедленней.

Поднявшись с кресел, они стали пробираться в конец ряда, к выходу. Теперь сердце Мари колотилось так, что, казалось, готово было выскочить из груди, и она не сомневалась, что вот сейчас, вот здесь, в этом зале, и закончится ее жизнь. Все ее движения и жесты, все, что бы она ни делала, — едва передвигала ноги, бормотала «разрешите», «извините», судорожно цепляясь за руку мужа и хватая ртом воздух, — все это казалось чем-то механическим и ужасало.

Ни разу в жизни она не испытывала такого страха.

Вот здесь я и умру, прямо в зале.

В голове стучала одна-единственная мысль — жуткая догадка: много лет назад одна из ее знакомых умерла в кинотеатре от инсульта.

Мозговая аневризма подобна бомбе замедленного действия. Происходит небольшое расширение кровеносных сосудов, напоминающее образование воздушных полостей в износившихся автопокрышках; с этим человек может жить долгие годы, и никто не подозревает ни о какой аневризме, пока она вдруг сама не обнаружится, например, при рентгеноскопии мозга или во время самого разрыва. Тогда все заливается кровью, человек сразу же входит в кому и обычно вскоре умирает.

Пока Мари, как сомнамбула, двигалась к выходу, из головы не выходила мысль о покойной подруге. При этом наиболее странным было то, как нынешний приступ подействовал на восприятие: казалось, Мари перенеслась на другую планету и словно впервые видела привычные вещи.

И — необъяснимый, невыносимый страх, паника оттого, что ты одна на чужой планете. Смерть.

Нужно немедленно взять себя в руки. Убедить себя, просто сделать вид, что все в порядке, и все будет в порядке.

Она героическим усилием воли попыталась успокоиться, как будто ничего не произошло, и чувство заброшенности в пугающе чуждый мир, кажется, начало отступать. Эти несколько минут были самыми страшными минутами в ее жизни.

Однако когда они выбрались в залитое светом фойе, паника вернулась. Краски были слишком яркими, уличный шум, казалось, раздирал уши, все представлялось совершенно нереальным. Мари механически отметила одну странную особенность: поле зрения сузилось до области вокруг болезненно-резкого фокуса в его центре, а все остальное словно утонуло в тумане.

Она знала: все, что она видит вокруг себя, — не более чем зрительный фантом — сама условность, сама иллюзия, созданная внутри ее мозга электрическими сигналами посредством световых импульсов, проходящих сквозь два стеклянистых тела, которые почему-то называются «глаза».

Нет. Никак нельзя об этом думать. Если дать себя увлечь таким мыслям, можно просто сойти с ума.

К этому моменту страх перед возможной аневризмой уже прошел. Мари всё-таки выбралась из кинозала живой, тогда как подруга даже не успела двинуться с кресла.

— Я вызову скорую, — сказал муж, с тревогой вглядываясь в мертвенно-бледное лицо и обескровленные губы жены.

— Лучше такси, — попросила она, вслушиваясь как бы со стороны в произносимые ею звуки и ощущая каждую вибрацию голосовых связок.

Попасть в больницу означало бы признать, что дела её действительно плохи, а Мари была исполнена решимости до последней минуты бороться за то, чтобы все вернулось к норме.

Они вышли на улицу. На морозном воздухе она понемногу стала приходить в себя, однако необъяснимый, панический страх остался. Пока муж, охваченный тревогой, лихорадочно ловил такси, она опустилась на бровку, стараясь не смотреть вокруг, потому что и проходящий автобус, и затеявшие игру мальчишки, и музыка, доносившаяся из расположенного неподалеку парка аттракционов, — всё это казалось совершенно ирреальным, пугающим, кошмарным, чужим.

Наконец появилось такси.

— В больницу, — сказал муж, помогая жене сесть в машину.

— Нет, ради Бога, домой, — взмолилась Мари. Ее страшила сама мысль вновь оказаться неизвестно где, в совершенно незнакомом месте, ей отчаянно хотелось чего-нибудь привычного, родного. Пока машина мчалась в сторону дома, тахикардия пошла на убыль, а температура, похоже, начала возвращаться к норме.

— Мне уже лучше, — сказала она мужу. — Просто, наверное, что-то не то съела.

Когда добрались домой, мир снова стал таким, каким она его знала с детства. Мари увидела, что муж взялся за телефон и спросила, куда это он собирается звонить.

— Я собираюсь вызвать врача.

— Не нужно. Посмотри на меня, видишь — все уже в порядке.

У нее вновь был нормальный цвет лица, сердце билось как прежде, а от недавнего страха не осталось и следа.

Всю ночь Мари металась в тревожном сне и проснулась в уверенности, что в кофе, который они пили перед киносеансом, кто-то подмешал наркотик. Все это, похоже, просто чья-то глупая и жестокая шутка, и она вознамерилась под конец рабочего дня связаться с полицией и с нею наведаться в тот бар, чтобы попытаться найти виновника.

На службе Мари разобрала несколько незавершенных дел, пытаясь с головой окунуться в работу — в ней еще оставались отголоски недавнего страха, так что нужно было доказать самой себе, что вчерашнее больше не повторится.

С одним из коллег она начала обсуждать фильм о Сальвадоре и мимоходом упомянула, что ей уже надоело целыми днями заниматься одним и тем же.

— Наверное, пора мне на пенсию.

— Вы у нас одна из лучших сотрудниц, — сказал коллега. — А юриспруденция — из тех редких профессий, где возраст всегда только плюс. Отчего бы вам не взять длительный отпуск? Я уверен, что вы вернетесь совсем другим человеком.

— Я вообще хочу начать новую жизнь. Пережить настоящую опасность, помогать другим, делать то, чего до сих пор никогда не делала.

На этом разговор закончился. Она вышла на площадь, пообедала в более дорогом, чем обычно, ресторане и вернулась в контору пораньше.

Именно этот момент и стал началом ее отчужденности.

Остальные сотрудники еще не пришли с обеда, и Мари воспользовалась этим, чтобы пересмотреть дело, до сих пор лежавшее у нее на столе. Она открыла ящик, чтобы достать авторучку, которая всегда лежала на одном и том же месте, но никакой авторучки не обнаружила. Мгновенно пронеслась мысль, что с ней в самом деле происходит что-то странное, раз она не положила ручку на привычное место.

Этого было достаточно, чтобы сердце вновь бешено заколотилось, и тотчас вернулся весь ужас вчерашнего вечера.

Мари оцепенела. В лучах солнца, проникавших сквозь жалюзи, все приобрело вдруг совершенно иные цвета — более яркие, более резкие, и при этом саму ее захлестнуло чувство, что в следующую же минуту она умрет. Все было совершенно чуждым — и что вообще она делает за этим столом?

Господи, если Ты есть, пожалуйста, помоги мне.

Все тело словно окатило холодным потом: ее захлестнула волна страха, который невозможно было контролировать. Если бы в этот момент сюда кто-нибудь вошел и увидел ее взгляд, полный ужаса, она бы пропала.

Холод!

Именно холод на улице привел ее вчера в чувство, но как выбраться на улицу? Она вновь с болезненной отчетливостью воспринимала любую мелочь происходящего с ней — ритм дыхания (временами у нее было ощущение, что, если бы она осознанно не делала вдохов и выдохов, организм не смог бы делать этого самостоятельно), движения головы (образы перемещались с места на место, словно при движении телекамеры), а сердце колотилось все сильнее, и тело утопало в липком холодном поту.

И — страх. Ничем не объяснимый сумасшедший страх что-либо сделать, ступить хоть шаг, выбраться из этой комнаты.

Это пройдет.

Вчера ведь прошло. Но сейчас, когда она на работе, кто знает — пройдет ли? Мари посмотрела на часы — они тоже вдруг предстали как нелепый механизм с двумя стрелками, вращающимися вокруг одной оси, указывая меру времени, и никто никогда бы не смог объяснить, почему делений на циферблате должно быть двенадцать, а не обычных десять, как и на любой другой шкале, установленной человеком.

Только не думать о таких вещах. Не то я тотчас сойду с ума.

Сойти с ума. Вот как, наверное, всего точней называется то, что с ней сейчас происходит. Собрав всю свою волю, Мари встала и пошла в туалет. К счастью, коридор был пуст, и она добралась до цели за минуту, которая показалась ей вечностью. Над раковиной она умылась холодной водой, и ощущение заброшенности в совершенно незнакомый и враждебный мир прошло, но страх остался.

Это пройдет, — уговаривала она себя. — *Вчера ведь прошло.*

Мари помнила, что вчера все длилось минут тридцать. Она заперлась в одной из кабинок и, сев на крышку унитаза, прижала голову к коленям. В этой позе зародыша стук сердца стал невыносимым, и она тут же выпрямилась.

Это пройдет.

Она оставалась там, все более чужая самой себе, словно загипнотизированная той безвыходной западней, в которую угодила. Она вслушивалась в происходящее за дверцей кабинки — шаги людей, входящих в туалет и выходящих из него, звуки открываемых и закрываемых кранов, бессмысленные разговоры на банальные темы. Неоднократно кто-то дергал дверцу, но Мари что-то бормотала и дверь оставляли в покое. Особенно грозным и зловещим был шум водослива — казалось, он вот-вот развалит здание, увлекая всех в преисподнюю.

Но всё-таки страх понемногу проходил, и сердцебиение возвращалось к нормальному ритму. Хорошо еще, что ее секретарша не отличалась внимательностью и вряд ли придала какое-либо значение отсутствию начальницы, иначе за дверцей уже собрались бы все коллеги, допытываясь у Мари, что с ней такое.

Почувствовав, что она вновь в состоянии себя контролировать, Мари выбралась из кабинки, долго умывалась, потом вернулась наконец в офис.

— У вас, кажется, всю тушь смыло, — заметила одна из стажерок. — Дать вам мою косметичку?

Мари даже не удостоила ее ответом. Войдя к себе в кабинет, она взяла сумку и сказала секретарше, что уходит домой.

— Но ведь назначено столько встреч! — запротестовала девушка.

164

— Здесь не вы даете указания; вы их получаете. Вот и сделайте так, как я говорю: отмените встречи.

Секретарша проводила удивленным взглядом начальницу, от которой за все три года работы не слышала ни одного резкого слова. Наверное, в самом деле какие-то серьезные неприятности: может, ей сообщили, что как раз сейчас муж дома с любовницей, вот она и торопится его застукать?

Она хороший адвокат и знает, что делает, — сказала себе секретарша. Скорее всего, уже завтра начальница попросит у нее прощения.

Но «завтра» не наступило. В ту ночь Мари долго говорила с мужем и описала ему все симптомы того, что с ней происходит. Вдвоем они пришли к выводу, что учащенное сердцебиение, холодный пот, отчужденность, беспомощность и потеря самоконтроля — все это можно назвать одним словом: страх.

С помощью мужа Мари попыталась проанализировать ситуацию. Про себя он подумал — а вдруг это рак мозга, — но ничего не сказал. Мари, в свою очередь, все больше укреплялась в подозрении, что случившееся с ней — лишь начало чего-то в самом деле ужасного, и тоже промолчала. По здравом размышлении, как и подобает умным и зрелым людям, они попытались прийти в разговоре к какому-то общему знаменателю.

— Наверное, тебе стоит пройти обследование.

Мари согласилась, но при одном условии: никто ничего не должен знать, даже их дети.

На следующий день она попросила у себя в адвокатской конторе 30-дневный отпуск за свой счет. Муж хотел отвезти ее в Австрию, где имеются лучшие специалисты по болезням мозга, но Мари отказывалась выходить из дома — теперь приступы были все чаще и все более продолжительными.

С большим трудом — главным образом при помощи успокоительных — они добрались до ближайшей больницы, где Мари прошла всестороннее обследование. У нее не нашли никакой патологии, включая и аневризму, и это принесло хоть какое-то успокоение.

Но сами приступы беспричинной и неодолимой паники никуда не исчезли. Муж ходил за покупками и готовил, а Мари ограничилась ежедневной обязательной уборкой, чтобы хоть как-то отвлечься. Она принялась читать подряд все, какие только могла найти, книги по психиатрии, но вскоре их забросила: ей казалось, что любая из описанных там болезней есть и у нее.

Самым ужасным было то, что приступы теперь стали привычными, но все равно она чувствовала все тот же страх перед той совершенно чуждой реальностью, в которую снова и снова попадала во время очередного приступа, все ту же неспособность контролировать себя. К этому прибавились угрызения совести — ведь мужу теперь приходилось работать за двоих, взяв на себя почти все домашние обязанности.

Тянулись дни, а ее состояние никак не улучшалось, и Мари начала чувствовать — и все чаще проявлять — крайнее раздражение. Достаточно было малейшего повода, чтобы она вышла из себя и заорала на мужа или на первого, кто под руку попадет, после чего неизменно начинались истерические рыдания.

Через несколько дней после того, как закончился отпуск, а Мари так и не вышла на работу, к ним домой явился один из ее сотрудников. Он звонил ежедневно, беспокоясь о ее здоровье, но Мари не поднимала трубку или просила мужа сказать, будто сейчас занята. В тот день он просто пришел и звонил в дверь до тех пор, пока она не открыла.

То утро выдалось сравнительно спокойным. Мари приготовила чай, они поговорили немного о работе, и затем он спросил, когда же она собирается вернуться в контору.

— Никогда.

Он вспомнил разговор о Сальвадоре.

— Ну что ж: конечно, вы вольны поступать по собственному усмотрению, — сказал он примирительным тоном, — хотя мне кажется, что именно работа в данном случае лучше всякой психотерапии. Поезжайте, повидайте мир, будьте полезной там, где в вас нуждаются, — но помните, что двери конторы для вас всегда открыты, можете вернуться, когда пожелаете.

Услышав это, Мари расплакалась, — теперь это с ней случалось на каждом шагу.

Коллега подождал, пока она успокоится. Опытный адвокат, он ни о чем не спрашивал, зная, что иной раз легче добиться ответа молчанием, чем задавая вопросы.

Так и случилось. Мари рассказала обо всем, что с ней происходило, начиная с посещения кинотеатра и до недавних истерических припадков при муже, который так ее поддерживал.

— Я сошла с ума, — сказала она.

— Это возможно, — ответил он с видом знатока, но с нежностью в голосе. — В таком случае у вас два выбора: лечиться или продолжать болеть.

— То, что я переживаю, неизлечимо. Я остаюсь в совершенно здравом уме, а напряженность чувствую оттого, что такая ситуация сохраняется уже давно. Но у меня нет таких обычных симптомов безумия, как потеря чувства реальности, безразличие или неуправляемая агрессивность. Только страх.

— Все сумасшедшие говорят, что они нормальны.

Оба рассмеялись, и она вновь налила чаю. Они говорили о погоде, об успехах словенской независимости, о напряженности, возникшей теперь между Хорватией и Югославией. Мари целыми днями смотрела телевизор и была хорошо обо всем информирована.

Прежде чем попрощаться, коллега снова затронул эту тему.

— Недавно в городе открыли санаторий, — сказал он. — Иностранный капитал, первоклассное лечение.

— Лечение чего?

— Неуравновешенности, скажем так. Ведь чрезмерный страх, как и все чрезмерное, — это неуравновешенность.

Мари пообещала подумать, но так и не приняла никакого решения по этому вопросу. Прошел еще месяц. Приступы паники повторялись, и она наконец поняла, что рушится не только ее личная жизнь, но и ее семья. Она снова попросила какое-то успокоительное и решилась выйти из дому — во второй раз за шестьдесят дней.

Она поймала такси и поехала к «новому санаторию». По дороге таксист спросил, едет ли она кого-нибудь навестить.

— Говорят, что там очень удобно, но еще говорят, что сумасшедшие буйные и что лечение включает применение электрошока.

— Мне нужно кое-кого навестить, — ответила Мари.

Одной лишь часовой беседы было достаточно, чтобы прекратились длившиеся два месяца страдания Мари. Руководитель заведения — высокий мужчина с крашеными темными волосами, который отзывался на имя «доктор Игорь», — объяснил, что речь идет всего лишь о заболевании Паническим Синдромом — болезнью, недавно вошедшей в анналы мировой психиатрии.

— Это не означает, что болезнь новая, — пояснил он, стараясь быть правильно понятым. — Бывает, что страдающие ею люди скрывают ее из опасения, что их примут за сумасшедших. Тогда как это — всего лишь нарушение химического равновесия в организме, как в случае депрессии.

Доктор Игорь написал рецепт и предложил ей возвращаться домой.

— Я не хочу сейчас возвращаться, — ответила Мари. — Даже при том, что вы мне сказали, я буду бояться выйти на улицу. Моя супружеская жизнь превратилась в ад, мне нужно, чтобы мой муж тоже пришел в себя после того, как ухаживал за мной эти месяцы.

Как всегда происходило в подобных случаях, учитывая, что акционерам хотелось, чтобы лечебница работала на полную мощность, доктор Игорь согласился на госпитализацию, дав, однако, ясно понять, что необходимости в ней нет.

Мари получила надлежащее лечение, психологическую поддержку, и симптомы стали слабеть, а потом и совсем прошли.

Однако тем временем слухи о госпитализации Мари распространились по небольшому городу Любляне. Ее коллега, с которым она дружила много лет, разделив с ним бессчетное число часов радости и огорчений, пришел навестить ее в Виллете. Он похвалил ее за то, что она послушалась его совета и нашла в себе силы просить о помощи. Но затем объяснил причину своего прихода:

— Наверное, теперь вам следовало бы выйти на пенсию.

Мари поняла, что стояло за этими словами: никому не хотелось поручать свои дела адвокату, который лечился в психиатрической больнице.

— Вы же говорили, что работа — лучшая терапия. Я должна вернуться, хотя бы на время.

Она ждала, что он как-нибудь отреагирует, но он ничего не сказал. Мари продолжала:

— Вы же сами мне советовали пойти лечиться. Когда я думала об увольнении, мне хотелось добиться успеха, реализовать себя, уйти совершенно добровольно. Я не хочу оставлять свою работу просто так, оттого, что потерпела поражение. Дайте мне хотя бы шанс вернуть самоуважение, и тогда я сама попрошусь на пенсию.

Адвокат кашлянул.

— Я вам советовал лечиться, а не ложиться в психиатрическую клинику.

— Но это был вопрос выживания. Я просто не могла выйти на улицу, рушилась моя супружеская жизнь.

Мари знала, что лишь бросает слова на ветер. Что бы она ни делала, отговорить его не удастся — как-никак, на карту поставлен авторитет фирмы. И все же она предприняла еще одну попытку.

— Здесь мне приходилось сталкиваться с двумя типами людей: теми, у кого нет шансов вернуться в общество, и теми, кто теперь совершенно здоровы, но предпочитают притворяться душевнобольными, чтобы избегать ответственности за свою жизнь. Я хочу, мне необходимо снова ощутить, что я довольна собой. Я должна убедиться, что в состоянии самостоятельно принимать решения. Мне нельзя навязывать то, чего я сама не выбирала.

— В жизни мы можем совершать много ошибок, — сказал адвокат. — Кроме одной: той, которая для нас разрушительна.

Продолжать разговор было бессмысленно: по его мнению, Мари совершила роковую ошибку.

Через два дня ей сообщили о визите еще одного адвоката, на этот раз из другой фирмы, которая считалась самым успешным соперником ее теперь уже бывших коллег. Мари воодушевилась: наверное, он узнал, что она теперь свободна и готова перейти на новую работу, и это был шанс восстановить свое место в мире.

Адвокат вошел в холл, сел перед ней, улыбнулся, спросил, лучше ли ей стало, и вынул из чемодана несколько бумаг.

— Я здесь по поручению вашего мужа, — сказал он. — Вот его заявление на развод. Разумеется, за все время вашего здесь пребывания он будет оплачивать больничные расходы.

Winter

На этот раз Мари не сопротивлялась. Она подписала все, хотя в соответствии с законом могла тянуть этот спор до бесконечности. Сразу же после этого она пошла к доктору Игорю и сказала, что симптомы паники вернулись.

Доктор Игорь знал, что она лжет, но продлил ее госпитализацию на неопределенное время.

Вероника решила идти спать,
но Эдуард все еще стоял у пианино.

Я устала, Эдуард. Глаза уже слипаются.

Она бы с удовольствием сыграла для него еще, извлекая из своей анестезированной памяти все известные ей сонаты, реквиемы, адажио, — ведь он умел восхищаться, ничего от нее не требуя. Но ее тело больше не выдерживало.

Он был так красив! Если бы он хотя бы ненадолго вышел из своего мира и взглянул на нее как на женщину, тогда ее последние ночи на этой земле могли бы стать прекраснейшими в ее жизни, ведь Эдуард оказался единственным, кто понял, что Вероника — артистка. С этим мужчиной у нее установилась такая связь, какой еще не удавалось установить ни с кем — через чистое волнение сонаты или менуэта.

Эдуард был похож на ее идеал мужчины. Чувственный, образованный, он разрушил равнодушный мир, чтобы воссоздать его вновь в своей голове, но на этот раз в новых красках, с новыми действующими лицами и сюжетами. И в этом новом мире были женщина, пианино и луна, которая продолжала расти.

— Я могла бы сейчас влюбиться, отдать тебе все, что у меня есть, — сказала она, зная, что он не может ее понять. — Ты просишь у меня лишь немного музыки, но ведь я гораздо больше, чем ты думаешь, и мне бы хотелось разделить с тобой то другое, что я теперь поняла.

Эдуард улыбнулся. Неужели он понял? Вероника испугалась: по правилам хорошего поведения нельзя говорить о любви так откровенно, а тем более с мужчиной, которого видела всего несколько раз. Но она решила продолжать, ведь терять было уже нечего.

— Ты, Эдуард, единственный мужчина на Земле, в которого я могу влюбиться. Только лишь потому, что, когда я умру, ты не почувствуешь, что меня уже нет. Не знаю, что чувствует шизофреник, но наверняка не тоску по кому бы то ни было. Может быть, вначале тебе покажется странным, что ночью больше нет музыки. Но луна растет, и всегда найдется кто-нибудь, кто захочет играть сонаты, особенно в больнице, ведь все мы здесь — «лунатики».

Она не знала, что за связь существует между сумасшедшими и луной, но явно очень сильная, ведь используют же такое слово для обозначения душевнобольных.

— И я тоже не буду скучать по тебе, Эдуард, ведь я буду уже мертвой, далеко отсюда. А раз я не боюсь потерять тебя, не имеет значения, что ты будешь обо мне думать и будешь ли думать вообще, сегодня я играла для тебя как влюбленная женщина. Это было замечательно. Это были лучшие мгновения моей жизни.

Она посмотрела на стоявшую снаружи Мари. Вспомнила ее слова.

И снова взглянула на мужчину перед собой.

Вероника сняла свитер, приблизилась к Эдуарду — если уж что-то делать, то сейчас. Мари долго не выдержит холода в саду и скоро вернется.

Он отступил. В его глазах стоял вопрос: когда она вернется к пианино? Когда она сыграет новую мелодию и вновь наполнит его душу красками, страданиями, болью и радостью тех безумных композиторов, которые в своих творениях пережили столько поколений?

Та женщина в саду говорила мне: «Мастурбируй. Узнай, как далеко ты сумеешь зайти». Неужели я смогу зайти дальше, чем до сих пор?

Она взяла его руку и хотела отвести к софе, но Эдуард мягко высвободился. Он предпочитал стоять, где стоял, у пианино, терпеливо дожидаясь, когда она снова заиграет.

Вероника смутилась, но затем поняла, что терять ей нечего. Она мертва, так к чему же продолжать питать страхи и предрассудки, всегда ограничивавшие ее жизнь? Она сняла блузку, брюки, лифчик, трусики и осталась перед ним обнаженной.

Эдуард рассмеялся. Она не знала, отчего, но заметила, что он смеется. Она нежно взяла его руку и положила ее на свой лобок. Рука осталась лежать неподвижно. Вероника отказалась от попытки и сняла ее.

Намного больше, чем физический контакт с этим мужчиной, ее возбуждало то, что она может делать все, что ей хочется, что границ не существует. За исключением той женщины во дворе, которая может войти в любую минуту, — все остальные, судя по всему, спали.

Кровь взыграла, и холод, который она чувствовала, снимая с себя одежду, становился все менее ощутим. Они стояли лицом к лицу, она обнаженная, он полностью одетый. Вероника опустила руку к своим гениталиям и начала мастурбировать. Ей уже приходилось делать это раньше, одной или с некоторыми партнерами, но ни разу в ситуации, когда мужчина не проявляет ни малейшего интереса к происходящему.

И это возбуждало, сильно возбуждало. Стоя с раздвинутыми ногами, Вероника касалась своих гениталий, сосков, своих волос, отдаваясь, как еще не отдавалась никогда, и не только оттого, что ей хотелось видеть, как этот парень выходит из своего отрешенного мира. Она никогда еще не переживала подобного.

Она начала говорить, говорила немыслимые вещи, то, что ее родители, друзья, предки сочли бы верхом непристойности. Наступил первый оргазм, и она кусала губы, чтобы не кричать от наслаждения.

Эдуард смотрел ей в глаза. Его глаза блестели по-другому, казалось, он что-то понимает, пусть это лишь энергия, жар, пот, запах, источаемые ее телом. Вероника до сих пор не была удовлетворена. Она стала на колени и начала мастурбировать снова.

Ей хотелось умереть от наслаждения, от удовольствия, думая и осуществляя все то, что до сих пор ей было запрещено: она умоляла мужчину, чтобы он к ней прикоснулся, покорил ее, использовал ее для всего, что только пожелает. Ей хотелось, чтобы Зедка тоже была здесь, женщина сумеет прикоснуться к телу другой женщины так, как не удастся ни одному мужчине, ведь она знает все его секреты.

На коленях перед этим мужчиной, стоящим во весь рост, она чувствовала, что ею обладают, что к ней прикасаются, она не стеснялась в словах, чтобы описать, чего ей от него хочется. Наступал новый оргазм, на этот раз он был сильнее, чем когда-либо ранее, как будто все вокруг взорвалось. Она вспомнила сердечный приступ, который у нее был утром, но это уже не имело никакого значения, она умрет, наслаждаясь, взрываясь. Она почувствовала искушение подержать член Эдуарда, который находился прямо перед ее лицом, но у нее не было ни малейшего желания рисковать испортить этот момент. Она зашла далеко, очень далеко, в точности, как говорила Мари.

Она воображала себя царицей и рабыней, властительницей и прислужницей. В своем воображении она занималась любовью с белыми, черными, желтыми, гомосексуалистами, царями и нищими. Она принадлежала всем, и каждый мог делать с ней что угодно. Она пережила оргазм, два, три оргазма подряд. Она воображала все, чего никогда не могла представить себе раньше, отдаваясь самому ничтожному и самому чистому. Наконец, не в силах больше сдерживаться, она громко закричала от удовольствия, от боли нескольких подряд оргазмов, всех мужчин и женщин, входивших в ее тело и покидавших его через двери ее разума.

Она легла на пол и осталась лежать там, вся в поту, с исполненной покоя душой. Она скрывала сама от себя свои потаенные желания, сама толком не зная зачем, и не нуждалась в ответе. Достаточно было сделать то, что она сделала: отдаться.

Понемногу Вселенная возвращалась на круги своя, и Вероника встала. Все это время Эдуард стоял неподвижно, но, казалось, что-то в нем изменилось: в его глазах светилась нежность, очень близкая этому миру.

Было так хорошо, что во всем мне видится любовь. Даже в глазах шизофреника.

Она стала одеваться, и почувствовала, что в холле есть кто-то третий.

Там была Мари. Вероника не знала, когда она вошла, что слышала или видела, но при всем этом не чувствовала ни стыда, ни страха. Она едва взглянула на нее, с тем нерасположением, с каким смотрят на слишком близкого человека.

— Я сделала, как ты советовала, — сказала она. — Я прошла долгий, очень долгий путь.

Мари стояла молча. Только что она воскресила в памяти очень важные моменты своей жизни, и ей было немного не по себе. Наверное, пора вернуться в мир, столкнуться с происходящим там, сказать, что все могут стать членами великого Братства, даже никогда не побывав в психиатрической больнице.

Как вот та девушка, например, единственная причина пребывания в Виллете которой — то, что она пыталась покончить со своей жизнью. Ей незнакомы ни паника, ни депрессия, ни мистические видения, ни психозы, ни ограничения, которые может накладывать человеческий ум. И хотя она знала стольких мужчин, ей ни разу не доводилось испытать самые сокровенные из своих желаний — и в результате она не знала своей жизни даже наполовину. Ах, если бы все могли познать и пережить свое внутреннее безумие! Стал бы мир хуже? Нет, люди стали бы справедливее и счастливее.

— Почему я никогда не делала этого раньше?

— Ему хочется, чтобы ты сыграла еще, — сказала Мари, глядя на Эдуарда. — По-моему, он заслужил.

— Я сыграю, но ответь мне: почему я никогда не делала этого раньше? Если я свободна, если я могу думать обо всем, о чем мне хочется, почему я всегда избегала мыслей о запретных ситуациях?

— Запретных? Послушай: я была адвокатом, и знаю законы. И еще я была католичкой, и знала наизусть большую часть Библии. Что ты называешь запретным?

Мари подошла к Веронике и помогла ей надеть свитер.

— Посмотри внимательно мне в глаза и не забудь то, что я тебе сейчас скажу. Существуют только две запретные вещи — одна по человеческому закону, другая — по Божественному. Никогда не принуждай никого к связи, это считается изнасилованием. И никогда не вступай в связь с детьми, это худший из грехов. Во всем остальном ты свободна. Всегда существует некто, желающий в точности того же, что и ты.

У Мари не было терпения учить важным вещам ту, кому скоро предстоит умереть. Улыбнувшись, она пожелала спокойной ночи и удалилась.

Эдуард стоял неподвижно, он ждал музыки. Вероника должна была отблагодарить его за то огромное удовольствие, которое он ей доставил лишь тем, что оставался стоять перед ней, глядя на ее безумства без страха или отвращения. Она села за пианино и заиграла.

Ее душа была легка, и даже страх смерти больше ее не мучил. Она пережила то, что всегда таила от самой себя. Она пережила удовольствия девственницы и проститутки, рабыни и царицы — хотя больше рабыни, чем царицы.

В ту ночь, словно чудом, все известные ей песни вспомнились ей, и она сделала все, чтобы Эдуард получил почти такое же удовольствие, как она.

Включив свет в приемной, доктор Игорь
с удивлением увидел, что его
дожидается девушка.

*Е*ще очень рано. А день у меня полностью занят.

— Я знаю, что рано, — сказала она. — И день еще не начался. Мне нужно с вами поговорить, это ненадолго. Мне нужна ваша помощь.

У девушки были круги под глазами, волосы потускнели — сразу видно, что не спала всю ночь.

Доктор Игорь пригласил ее в кабинет.

Сказав «присаживайтесь», он зажег свет и раздвинул шторы. До рассвета примерно час, а затем свет нужно будет выключить, чтоб экономить электроэнергию. Акционеры всегда придирчивы по части расходов, даже самых незначительных.

Он бросил беглый взгляд в больничный журнал: Зедка уже получила свой последний инсулиновый шок, и реакция была положительная, точнее, ей удалось перенести столь жесткую терапию. Хорошо еще, что на этот случай доктор Игорь запасся подписью администрации Виллете под документом, согласно которому та берет на себя ответственность за возможные последствия.

Он просмотрел еще пару последних записей. Два-три пациента, по докладам медсестер, ночью вели себя агрессивно — среди них Эдуард, который вернулся в палату лишь в четыре утра и отказался от снотворного. Значит, следует принять меры. Каким бы либеральным ни был режим Виллете, необходимо поддерживать его репутацию заведения достаточно строгого во всем, что касается требований традиционной медицины.

— У меня к вам важная просьба, — сказала девушка.

Как бы не расслышав, доктор Игорь взял стетоскоп и принялся прослушивать ее легкие и сердце. Затем проверил рефлексы и при помощи специального портативного фонарика осмотрел дно сетчатки. Поразительно, но симптомы отравления *Купоросом* почти исчезли.

Сразу взявшись за телефон, он велел медсестре принести лекарство с каким-то сложным названием.

— Похоже, вчера вечером вам не сделали укол, — сказал он.

— Но чувствую я себя гораздо лучше.

— Видели бы вы свое лицо: круги под глазами, усталость, вялая мимика. Если хотите употребить с пользой то недолгое время, которое вам осталось, будьте добры, выполняйте мои указания.

— Именно поэтому я пришла сюда. Я как раз и хочу употребить с пользой это недолгое время, только по своему усмотрению. Сколько мне еще жить?

Доктор Игорь устремил на нее пристальный взгляд поверх очков.

— Вы можете мне ответить, — настаивала она. — У меня уже нет ни страха, ни безразличия, ничего. У меня есть желание жить, но я знаю, что этого недостаточно, поэтому я смирилась со своей судьбой.

— Так что же вам нужно?

Вошла медсестра со шприцем. Доктор Игорь кивнул в сторону Вероники. Медсестра осторожно закатала ей рукав.

— Сколько мне еще осталось? — повторила Вероника, пока с нею возилась медсестра.

— Сутки. Двадцать четыре часа. Может, меньше.

Она опустила глаза и закусила губу. Но сохранила самообладание.

— Тогда я хочу попросить вот о чем. Во-первых, дайте мне какое-нибудь лекарство, сделайте какой-нибудь укол — что угодно, но только чтобы я не засыпала, чтобы я использовала каждую оставшуюся мне минуту. Меня сильно клонит в сон, но я хочу не спать, мне нужно успеть сделать многое — то, что я всегда откладывала на потом, думая, что буду жить вечно, и к чему утратила интерес, когда пришла к выводу, что жить не стоит.

— А во-вторых?

— Во-вторых — я хочу выйти отсюда, чтобы умереть там, на воле. Я должна подняться к Люблянскому замку, который так и не удосужилась рассмотреть вблизи. Я должна поговорить с одной женщиной, которая зимой продает каштаны, а весной — цветы. Сколько раз мы виделись, а я ни разу не спросила, как ей живется. Хочу прогуляться по морозу без куртки и почувствовать пронизывающий холод — я всегда куталась, боялась простудиться.

Короче, доктор Игорь, я хочу ощутить таяние снежинок на своем лице, улыбаться мужчинам, которые мне нравятся, с удовольствием соглашаясь, если кто-нибудь предложит выпить по чашке кофе. Я должна поцеловать маму, сказать, что люблю ее, выплакаться у нее на груди, не стыдясь своих чувств, которые раньше скрывала.

Может быть, я зайду в церковь, взгляну на те иконы, которые никогда ничего мне не говорили, зато теперь что-нибудь скажут. Если какой-нибудь понравившийся мне мужчина пригласит меня в ночной клуб, я с ним протанцую ночь напролет. Потом пойду с ним в постель — но не так, как прежде с другими — то с деланым безразличием, то с деланой страстью. Я хочу отдаться мужчине, городу, жизни — и, наконец, смерти.

Когда Вероника замолчала, воцарилась мертвая тишина. Врач и пациентка смотрели друг другу в глаза, читая в них мысль о тех ошеломляющих возможностях, которые могут предоставить двадцать четыре часа.

— Я могу дать вам кое-какие стимулирующие средства, но не рекомендовал бы их принимать, — сказал наконец доктор Игорь. — Они снимут сонливость, но в то же время лишат вас внутреннего равновесия, которое необходимо, чтобы все это пережить.

Вероника почувствовала подступающую дурноту. Всякий раз после такого укола в организме происходило что-то неладное.

— Вы побледнели. Думаю, лучше вам отправиться в постель; поговорим завтра.

На глаза Вероники вновь навернулись слезы, но она сдержалась.

— Завтра не будет, и вы это хорошо знаете. Я устала, доктор Игорь, страшно устала. Поэтому сейчас и обратилась к вам. Я всю ночь не сомкнула глаз — наполовину в отчаянии, наполовину в смирении. Можно было вновь впасть в истерику от страха, как случилось вчера, но что толку? Если впереди всего одни сутки, а предстоит еще столько сделать, нужно отбросить отчаяние. Пожалуйста, доктор, пусть я по-настоящему проживу то недолгое время, которое мне осталось, ведь мы оба знаем, что завтра может быть поздно.

— Идите спать, — настаивал врач. — Вернетесь сюда в полдень. Еще поговорим.

Вероника увидела, что выхода нет.

— Хорошо. Только спать я буду очень недолго. У вас есть еще несколько минут?

— Разве что несколько минут. Сегодня я очень занят.

— Я буду говорить совершенно открыто. Вчера ночью впервые я занималась мастурбацией — без малейшего стыда. Я думала обо всём, о чём до сих пор не осмеливалась думать, получала наслаждение от того, что раньше меня пугало или отталкивало.

Доктор напустил на себя чрезвычайно профессиональный вид. Он не знал, к чему может привести этот разговор, и не хотел иметь неприятностей с начальством.

— Доктор, я обнаружила, что я развратница. Не это ли одна из причин моей попытки самоубийства? Я многого о себе не знала.

Ну, здесь можно обойтись самым простым ответом, — подумал он. — *Нет необходимости опять вызывать медсестру, чтоб была свидетельница во избежание разговоров о сексуальном насилии.*

— Всем нам хочется делать разные вещи, порой весьма необычные, — ответил он. — И нашим партнёрам по сексу тоже. Что в этом неправильного?

— А вы как считаете?

— С самого начала всё неправильно. Потому что когда все мечтают о якобы запретном и лишь немногие осуществляют эти мечты, все остальные чувствует себя трусами.

— Даже если эти немногие правы?

— Прав тот, кто сильнее. В данном же случае, как ни парадоксально, трусы оказываются самыми смелыми, и им удаётся навязать свои идеи.

Ему не хотелось продолжать.

— Пожалуйста, ступайте к себе в палату; вам нужно хоть немного отдохнуть, а у меня расписан весь сегодняшний день. Если не будете упрямиться, я подумаю, что можно сделать касательно вашей второй просьбы.

Вероника вышла из кабинета. Следующим посетителем была Зедка, которую пора выписывать, но доктор Игорь попросил ее подождать. Ему необходимо было сделать несколько записей в связи с только что завершившимся разговором.

В диссертацию о *Купоросе* придется включить большую главу о сексе. В конце концов, именно с ним связана значительная часть психопатологии. По мнению доктора Игоря, фантазии — это электрические импульсы в мозгу, которые при их подавлении разряжают свою энергию в других сферах жизнедеятельности.

Еще студентом он прочел любопытный трактат о сексуальных меньшинствах: садизм, мазохизм, гомосексуализм, трансвестизм, вуайеризм, копрофагия, копролалия — в общем, список был внушительный. Вначале доктор Игорь считал, что это всего лишь отклонения в психике тех, кому не удалось наладить здоровые отношения с партнером. А между тем, набираясь опыта в психиатрии, по мере общения с пациентами он обнаружил, что каждый из них рассказывал что-то совершенно индивидуальное. Они усаживались в удобное кресло в его кабинете и, опустив глаза, пускались в долгие рассуждения о том, что называли «болезнями» (как будто он не врач!) или «развращенностью» (как будто он не психиатр, который обязан во всем разобраться!).

Один за другим вполне, казалось бы, нормальные люди описывали те самые фантазии, о которых он читал в книге о сексуальных меньшинствах — книге, в сущности отстаивавшей право каждого получать оргазм так, как ему нравится, лишь бы он не нарушал прав партнера.

Женщины, учившиеся в монастырских колледжах, втайне мечтали о том, чтобы при занятиях сексом их подвергали всяческим унижениям. Мужчины в костюмах и галстуках, высокие государственные чиновники признавались, что тратят целые состояния на румынских проституток лишь ради возможности полизать им ноги. Юноши, влюбленные в мальчиков; девушки, влюбленные в подруг по колледжу; мужья, желающие, чтобы их женами обладали посторонние; женщины, мастурбировавшие всякий раз, когда находили следы нарушения супружеской верности своих мужей; матери, которым приходилось сдерживать порыв отдаться первому же мужчине, позвонившему в дверь; отцы, рассказывавшие о тайных приключениях с трансвеститами.

И — оргии. Если верить книге, едва ли не каждому по крайней мере раз в жизни хотелось принять участие в групповом сексе.

Доктор Игорь ненадолго отложил ручку и задумался о самом себе: и он тоже? Да, и ему бы тоже хотелось. Оргия, в его представлении, должна была бы быть чем-то

Library

совершенно беспорядочным, радостным, где уже нет чувства обладания, а есть лишь наслаждение и хаос свободы.

Не в этом ли одна из главных причин столь внушительного количества людей, пораженных *Горечью*? Брачных союзов, на которые монотеизм наложил противоестественные ограничения, — союзов, в которых, согласно результатам исследований, бережно хранимым доктором Игорем в его архиве, половое влечение исчезает на третьем или четвертом году совместной жизни. В этих условиях женщина чувствует себя отверженной, мужчина — узником брака, и *Купорос*, или *Горечь*, начинает разрушать все и вся.

С психиатром люди говорят более откровенно, чем со священником, потому что врач не станет угрожать преисподней. На протяжении своей длительной карьеры психиатра доктор Игорь уже наслушался практически всего, что они могли рассказать.

Рассказать. Гораздо реже — *сделать*.

Даже проработав по своей специальности не один год, он то и дело задавался вопросом, почему люди так боятся своей индивидуальности.

Когда он пытался докопаться до причины, чаще всего ему отвечали: «Муж подумает, что я проститутка». Или же сидевший перед ним пациент почти непременно подчеркивал: «Жена ничего не должна знать».

На этом беседа обычно и заканчивалась. Стоит ли говорить, что у каждого был свой неповторимый сексуальный профиль, столь же характерный, как и отпечатки пальцев: однако никто не хотел этому верить. Было весьма рискованным сохранять в постели свободу, ведь другой мог оставаться рабом собственных предрассудков.

Мне не изменить мир, — пришел он наконец к выводу и, смирившись, велел медсестре впустить излечившуюся от депрессии пациентку — Зедку. — *Но по крайней мере в диссертации я напишу всё, что об этом думаю.*

Эдуард увидел, что Вероника выходит из кабинета доктора Игоря и направляется в палату. Ему хотелось рассказать свои секреты, раскрыть перед ней душу так же честно и откровенно, как она прошлой ночью открыла ему свое тело.

Для него это было одним из тяжелейших испытаний с тех пор, как он попал в Виллете с диагнозом «шизофрения». Но он выдержал и был рад, хотя и боялся возникшего желания снова вернуться в этот мир.

«Все здесь знают, что эта молодая девушка не выдержит до конца недели. Это бесполезно».

А может быть, именно поэтому стоило поделиться с ней своей историей. Три года он разговаривал с одной лишь Мари, но даже при этом у него не было уверенности, что она полностью его понимает. Как мать, она, должно быть, считала, что его родители были правы, что они желали ему лишь добра, что райские видения — всего лишь глупая юношеская мечта, совершенно далекая от реального мира.

Райские видения. Именно они вели его в ад, к бесконечным ссорам с семьей, к чувству вины, настолько сильному, что он больше не способен был сопротивляться и ему пришлось искать убежища в ином мире. Если бы не Мари, он до сих пор жил бы в этой отдельной реальности.

И вот тут появилась Мари, заботилась о нем, заставила его почувствовать себя снова любимым. Благодаря ей Эдуард все еще в состоянии был осознавать, что происходит вокруг.

Несколько дней назад одна девушка, его ровесница, села за пианино и сыграла «Лунную сонату». Эдуард не знал, виновата ли музыка, или девушка, или луна, или время, проведенное в Виллете, но его вновь начали беспокоить райские видения.

Он шел за ней до самой женской палаты, но там его остановил санитар.

— Сюда нельзя, Эдуард. Возвращайтесь в сад. Уже рассветает, будет чудесный день.

Вероника оглянулась.

— Я немного посплю, — нежно сказала она ему. — Поговорим, когда я проснусь.

Вероника не понимала отчего, но этот молодой человек стал частью ее мира, или того немногого, что от него осталось. Она была уверена, что Эдуард в состоянии понять ее музыку, восхищаться ее талантом. И хотя ему не удавалось произнести ни слова, его глаза говорили все.

Так было и в этот миг, у двери палаты, когда они говорили о том, о чем ей не хотелось слышать.

О нежности. О любви.

От этой жизни с душевнобольными я быстро сама сошла с ума. Шизофреники не могут испытывать такие чувства к здоровым людям.

Вероника почувствовала порыв вернуться и поцеловать его, но сдержалась. Санитар мог это увидеть, рассказать доктору Игорю, и тогда уж точно врач не позволит, чтобы женщина, поцеловавшая шизофреника, выходила из Виллете.

Эдуард посмотрел в глаза санитару. Его привязанность к этой девушке была сильнее, чем он себе представлял, но нужно было сдержаться, пойти посоветоваться с Мари — единственной, с кем он делился своими тайнами. Безусловно, она сказала бы ему, что то, что он хочет почувствовать — любовь, — в данном случае опасно и бесполезно. Мари попросит Эдуарда забыть о глупостях и снова стать нормальным шизофреником (а потом от души рассмеется, поскольку эта фраза не имеет смысла).

Он присоединился к другим пациентам в столовой, съел все, что подали, и вышел на обязательную прогулку в сад. Во время «солнечных ванн» он пытался подойти к Мари. Но у нее было выражение человека, которому хочется побыть одному. Не нужно было ничего ей говорить, ведь одиночество Эдуарду было достаточно знакомо, чтобы научиться его уважать.

К Эдуарду приблизился новый пациент. Должно быть, он еще ни с кем не успел познакомиться.

— Бог наказал человечество, — сказал тот. — Наказал чумой. А я видел Его во снах. Он велел мне спасти Словению.

Эдуард пошел от него прочь, а этот мужчина кричал:

— По-вашему, я сумасшедший? Тогда почитайте Евангелие! Бог послал в мир Своего Сына, и Сын Божий возвращается снова!

Но Эдуард больше его не слышал. Он смотрел на горы за окном и спрашивал себя, что с ним происходит. Почему ему захотелось выйти отсюда, если он наконец обрел покой, которого так искал? К чему рисковать снова позорить родителей, если все семейные проблемы уже решены? Он начал волноваться, ходить из стороны в сторону, ожидая, что Мари нарушит свое молчание и они смогут поговорить. Но она казалась далекой как никогда.

Он знал, как бежать из Виллете: какой неприступной ни казалась охрана, лазеек было немало. Просто у оказавшихся внутри не возникало особого желания отсюда выходить. С западной стороны была стена, взобраться на которую не составляло большого труда, поскольку в ней было множество трещин. Человек, решивший перебраться через нее, сразу оказался бы в поле, а через пять минут, идя в северном направлении, добрался бы до шоссе, ведущего в Хорватию. Война уже закончилась, братья снова стали братьями, границы уже охранялись не столь тщательно, как раньше. Немного везения — и через шесть часов можно оказаться уже в Белграде.

Эдуард уже несколько раз попадал на это шоссе, но всякий раз решал вернуться, поскольку еще не получил знака, чтобы двигаться дальше. Теперь все было по-другому: этот знак появился, им была зеленоглазая девушка с каштановыми волосами, которая выглядела как человек, боящийся потерять свою решимость.

Эдуард решил дойти прямо до стены, перебраться через нее и больше никогда не возвращаться в Словению. Но девушка спала, он должен был хотя бы попрощаться с ней.

Когда после «солнечных ванн» члены Братства собрались в холле, Эдуард подошел к ним.

— Что здесь делает этот сумасшедший? — спросил самый старший.

— Перестаньте, — сказала Мари. — Мы тоже сумасшедшие.

Все рассмеялись и заговорили о вчерашней беседе. Вопрос был такой: действительно ли суфийская медитация в состоянии изменить мир? Прозвучали теории, предложения, поправки, противоположные мнения, критические высказывания в адрес лектора, способы усовершенствовать то, что было испытано веками.

Эдуарда просто тошнило от подобных дискуссий. Эти люди замыкались в психиатрической больнице и спасали мир, ничем не рискуя, поскольку знали: там, снаружи, все будут называть их смешными, несмотря на то, что идеи у них весьма конкретные. Каждый из этих людей имел свою особую теорию относительно всего и был убежден, что его истина — это единственное, что имеет значение. Они проводили дни, ночи, недели, годы в разговорах, так и не приняв единственной истины, стоящей за любой идеей: хороша она или плоха, но реальна она лишь тогда, когда ее стараются осуществить на практике.

Что такое суфийская медитация? Что такое Бог? Что такое спасение, если мир действительно необходимо спасать? Ничто. Если бы каждый и здесь, и снаружи жил своей жизнью и позволил так же поступать другим, Бог был бы в каждом мгновении, в каждом горчичном зерне, в клочке облака, которое возникает и тут же растворяется. Бог здесь, однако эти люди считали, что необходимо продолжать поиск, поскольку казалось слишком просто принять жизнь как акт веры.

Он вспомнил такое простое и легкое упражнение, которому, как он слышал, обучал суфийский учитель, пока он ожидал Веронику у пианино: смотреть на розу. Разве нужно что-нибудь еще?

Но, даже пережив опыт глубокой медитации, подойдя так близко к райским видениям, эти люди еще что-то обсуждали, аргументировали, критиковали, строили теории.

Он наконец поймал взгляд Мари. Она отвела глаза, но Эдуард был полон решимости немедленно покончить с таким положением. Он подошел к ней и взял ее за руку.

— Прекрати, Эдуард.

Он мог сказать: «Пойдем со мной». Но ему не хотелось делать этого на виду у всех окружающих, которых бы удивила твердость его голоса. Поэтому он предпочел стать на колени с молящим взглядом.

Мужчины и женщины рассмеялись.

— Ты стала для него святой, Мари, — прокомментировал кто-то. — Он был на вчерашней медитации.

Но годы безмолвия научили Эдуарда говорить глазами. В них он умел вложить всю свою энергию. Точно так же как он был абсолютно уверен, что Вероника ощутила его нежность, его любовь, он знал, что Мари поймет его отчаяние, ведь она была так нужна ему.

Еще некоторое время она была в нерешительности. Затем заставила его подняться и взяла за руку.

— Давай пройдемся, — сказала она. — Ты нервничаешь.

И они снова вышли в сад. Когда они отошли достаточно далеко, чтобы их разговор никто не подслушал, Эдуард заговорил.

— Здесь, в Виллете, я уже не первый год, — сказал он. — Я больше не позорю родителей, отбросил в сторону самолюбие, но райские видения остались.

— Я знаю, — ответила Мари. — Мы уже не раз об этом говорили. И еще я знаю, к чему ты ведешь: пора уходить.

Эдуард посмотрел на небо. Неужели она чувствует то же самое?

— А все из-за девушки, — продолжала Мари. — Мы уже видели, сколько людей здесь умирают, всегда в неожиданный момент, и в основном после того, как жизнь им стала в тягость. Но впервые такое происходит с молодой, красивой, здоровой девушкой, которой только жить и жить. Вероника — единственный человек, которому не хотелось бы оставаться в Виллете. В таком случае — зададимся вопросом: а что же мы? Что мы здесь ищем?

Он кивнул.

— Так вот, вчера ночью я тоже спросила себя, что я делаю в этом санатории. И решила, что куда интереснее было бы сходить на площадь, на Три Моста, на рынок, который напротив театра, купить яблок, поболтать о погоде. Конечно, снова свалились бы на плечи забытые хлопоты, а это и счета к оплате, и трудности с соседями, и ироничные взгляды тех, кто меня не понимает, и одиночество, и жалобы моих детей. Но я думаю, что такова сама жизнь, и цена, которую платишь, решая все эти мелкие проблемы, гораздо ниже, чем та, которую платишь, делая вид, что они тебя не касаются. Сегодня я собираюсь сходить домой к моему бывшему мужу, просто чтобы сказать спасибо. Что ты об этом думаешь?

— Не знаю. Может быть, и мне стоит зайти домой к родителям и сказать то же самое?

— Наверное. В сущности, во всех наших невзгодах виноваты мы сами. Многие люди прошли через те же трудности, что и мы, но вот реагировали они по-другому. Мы же искали самого простого: иной реальности.

Эдуард знал, что Мари права.

— Я собираюсь начать жить заново, Эдуард. Делать ошибки, которые мне всегда хотелось делать и на которые я никогда не отваживалась. Смело принимать панику, которая может снова вспыхнуть, но при этом я могу почувствовать лишь скуку, ведь я знаю, что не умру от нее и не потеряю сознание. Я могу завести новых друзей и научить их быть безумцами, чтобы сделать их мудрыми. Скажу им, чтобы они не жили по учебникам хорошего тона, а открывали свою собственную жизнь, собственные желания, приключения — и жили! Буду цитировать из Экклезиаста католикам, из Корана — мусульманам, из Торы — иудеям, тексты Аристотеля — атеистам. Я больше не хочу быть адвокатом, но я могу использовать свой опыт, чтобы читать лекции о мужчинах и женщинах, знавших правду о нашем существовании, и то, что они написали, можно вместить в одно-единственное слово: *живите*. Если ты живешь, Бог будет жить с тобой. Если ты откажешься рисковать, Он вернется на далекие Небеса и станет лишь темой философских построений. Все на свете об этом знают. Но никто не делает первый шаг. Наверное, из страха, что такого человека назовут безумцем. А нам с тобой, Эдуард, по крайней мере не стоит бояться. Мы уже прошли через Виллете.

— Разве что единственное, чего мы будем лишены, — это права участвовать в выборах и баллотироваться в президенты страны. Избирательные комиссии сразу возьмутся раскапывать наше прошлое.

Мари рассмеялась.

— Я устала от этой жизни. Не знаю, удастся ли мне преодолеть свой страх, но мне опротивело и Братство, и этот сад, и Виллете, вообще опротивело притворяться сумасшедшей.

— А если я это сделаю, ты — тоже?

— Ты этого не сделаешь.

— Я чуть было не сделал этого несколько минут назад.

— Не знаю. Я устала от всего, но я уже слишком привыкла.

— Когда я поступил сюда с диагнозом «шизофрения», ты целыми днями и месяцами ухаживала за мной, обращалась со мной как с человеком. Я уже привыкал к той жизни, которую решил вести, к той реальности, которую сам создал, но ты не позволила. Я тебя возненавидел, а теперь люблю. Я хочу, чтобы ты, Мари, вышла из Виллете, так же как я вышел из моего отдельного мира.

Ничего не ответив, Мари повернулась и пошла прочь.

В маленькой библиотеке Виллете, которую почти никто не посещал, Эдуард не нашел ни Коран, ни Аристотеля, ни других философов, о которых говорила Мари. Но в одной из книг он наткнулся на стихи:

И я сказал себе: то, что случилось с безумцем,
Случится и со мной.
Иди своим путем и с радостью вкушай свой хлеб,
И с наслажденьем пей свое вино,
Ведь принял Бог деяния твои.
Пусть белыми твои одежды будут,
И волосы пусть источают аромат.
Живи с любимою своей женой,
Своею жизнью наслаждайся
Во все дни суеты, что Бог
Тебе под солнцем даровал.
Ибо тебе досталась твоя доля в жизни,
В томлениях трудов под этим солнцем.
Иди путями сердца твоего
В сиянии твоих очей,
Лишь знай, что Бог потребует отчет.

— В конце Бог потребует отчет, — сказал Эдуард вслух. — А я скажу: «Случилось так, что я засмотрелся на ветер, забыл, что пора сеять, не наслаждался своими днями и даже не пил вино, которое мне предлагали. Но вот однажды я решил, что готов, и вернулся к своим трудам. Я рассказал людям о своих видениях Рая, как до меня это делали другие безумцы — Босх, Ван Гог, Вагнер, Бетховен, Эйнштейн». Итак, Он скажет, что я ушел из приюта, чтобы не видеть, как умирает девушка, но она будет на небесах, и заступится за меня.

— Что это вы такое говорите? — прервал его библиотекарь.

— Я хочу сейчас уйти из Виллете, — ответил Эдуард твердо, во весь голос. — У меня есть дела.

Библиотекарь позвонил в колокольчик, и вскоре явились два санитара.

— Я хочу уйти, — в волнении повторил Эдуард. — Я вполне здоров, мне нужно поговорить с доктором Игорем.

Но санитары уже схватили его. Эдуард пытался вырваться, хотя и знал, что это бесполезно.

— У вас рецидив, успокойтесь, — сказал один из санитаров. — Мы о вас позаботимся.

Эдуард начал сопротивляться.

— Дайте мне поговорить с доктором. Мне нужно многое сказать ему, я уверен, что он поймет!

Санитары уже тащили его в палату.

— Отпустите! — кричал он. — Дайте мне поговорить с доктором, всего одну минуту!

Путь в палату пролегал через холл, где в это время находились почти все пациенты. Эдуард вырывался, и атмосфера стала накаляться.

— Отпустите его! Он такой же больной, как все мы!

Некоторые смеялись, другие колотили ладонями по столам и стульям.

— Здесь психбольница! Никто не обязан вести себя так, как вы этого хотите!

Один из санитаров шепнул другому:

— Нужно их припугнуть, иначе скоро ситуация выйдет из-под контроля.

— У нас нет выхода.

— Доктору это не понравится.

— Будет хуже, если эта толпа маньяков разнесет его любимый санаторий.

Вероника проснулась от испуга, вся в холодном поту. Там, в коридоре, стоял страшный шум, а спать она могла только в тишине. За дверью происходило что-то совершенно непонятное.

Еле держась на ногах, она выбралась в холл и тут увидела, как санитары волокут Эдуарда, а еще двое подбегают со шприцами наготове.

— Что вы делаете? — закричала она.

— Вероника!

Шизофреник заговорил с ней! Он произнес ее имя!

Со смешанным чувством стыда и удивления она попыталась приблизиться, но ей загородил дорогу один из санитаров.

— Что происходит? Я здесь не потому, что я ненормальная! Вы не смеете со мной так обращаться!

Ей удалось оттолкнуть санитара, а тем временем другие пациенты продолжали кричать, — это и был тот оглушительный шум, который ее напугал.

Наверное, надо найти доктора Игоря и немедленно выбраться из Виллете.

— Вероника!

Он снова произнес ее имя. Сверхчеловеческим усилием Эдуарду удалось вырваться из хватки двух санитаров. Вместо того чтобы сбежать от них, он остался неподвижно стоять, как предыдущей ночью. Словно под действием волшебной палочки, все застыли, ожидая следующего движения. Один из санитаров снова приблизился, но Эдуард бросил на него взгляд, в котором была вся его энергия.

— Я пойду с вами. Я уже знаю, куда вы меня ведете, и знаю: вам хочется, чтобы об этом знали все. Подождите только минутку.

Санитар решил, что рискнуть стоит. Ведь вроде бы всё вернулось к норме.

— Мне кажется, что ты... мне кажется, что ты очень много для меня значишь, — сказал Эдуард Веронике.

— Ты не можешь так говорить. Ты живешь не в этом мире и не знаешь, что меня зовут Вероникой. Ты не был со мной этой ночью, пожалуйста, скажи, что не был!

— Нет, я был.

Она взяла его за руку. Стоял страшный шум — кто хохотал, кто аплодировал, кто выкрикивал непристойности.

— Куда тебя ведут?

— На процедуру.

— Я пойду с тобой.

— Не стоит. Ты испугаешься, хотя я и гарантирую, что это не больно, ничего не чувствуешь. И это лучше успокоительных, потому что быстрей возвращается ясность ума.

Вероника не знала, о чем он говорит. Она сожалела, что взяла его за руку, ей хотелось поскорее уйти отсюда, скрыть свой стыд, больше никогда не видеть этого юношу, при котором открылось самое потаенное и постыдное в Веронике и который однако продолжал испытывать к ней нежные чувства.

Но вновь она вспомнила слова Мари. *Я ни перед кем не обязана отчитываться в своих поступках, даже перед этим молодым человеком.*

— Я пойду с тобой.

Санитары сочли, что так, наверное, будет лучше: шизофреника не придется принуждать, он отправится с ними по своей воле.

В палате Эдуард послушно лег на койку. Его уже ожидали еще двое с каким-то странным прибором и с сумкой, в которой находились полоски ткани.

Эдуард повернул голову к Веронике и попросил сесть рядом.

— За несколько минут о том, что сейчас будет, узнает весь Виллете. И все утихомирятся, потому что такое лечение внушает страх даже самым буйным. Только тот, кто через него прошел, знает, что все на самом деле не так уж страшно.

На лицах санитаров отразилось недоумение. Боль на самом деле должна быть ужасной — но никому не известно, что творится в голове у сумасшедшего. Единственно разумным было то, что парень говорил насчет страха: слух разнесется по Виллете, и вскоре все успокоятся.

— Ты поторопился лечь, — сказал один из них.

Эдуард встал, и они расстелили на койке нечто вроде резинового одеяла.

— Вот теперь укладывайся.

Эдуард спокойно подчинился, как будто все происходившее было обычным делом.

Полосами ткани санитары привязали Эдуарда к койке и сунули ему в рот резиновый кляп.

— Это чтобы он не прикусил язык, — разъяснил Веронике один из мужчин, довольный тем, что дает техническую информацию и одновременно предостерегает.

На стул возле койки они поставили странного вида прибор — размером чуть больше обувной коробки, с тумблерами и тремя индикаторами. От прибора отходили два провода, заканчивавшиеся чем-то вроде наушников.

Один из санитаров прикрепил «наушники» к вискам Эдуарда. Другой, по всей видимости, настраивал прибор, вращая тумблеры то вправо, то влево. С кляпом во рту Эдуард неотрывно смотрел Веронике в глаза и словно говорил: *не волнуйся, всё в порядке.*

— Я отрегулировал на сто тридцать вольт в три десятых секунды, — сказал тот, что возился с ящиком. — Ну, поехали.

Он нажал кнопку, и ящик зажужжал. В тот же миг глаза Эдуарда застыли, его тело изогнулось такой дугой, что, если бы не было привязано к койке, наверняка сломался бы позвоночник.

— Прекратите! — закричала Вероника.

— А уже всё, — ответил санитар, снимая с головы Эдуарда «наушники».

Однако тело продолжало биться в судорогах, голова так моталась, что один из санитаров решил ее придержать руками. Другой уложил прибор в сумку и присел перекурить.

Через несколько минут тело как будто бы вернулось к норме, затем начались спазмы, пока санитар по-прежнему старался удержать голову Эдуарда. Вскоре судороги стали ослабевать, а затем полностью прекратились. Глаза Эдуарда оставались открытыми, и один из санитаров их закрыл, как закрывают глаза мертвым.

Затем он вынул кляп изо рта юноши, развязал полосы ткани и сложил их в сумку, где лежал прибор.

— Действие электрошока длится час, — сказал он девушке, которая уже не кричала и казалась загипнотизированной увиденным. — Все в порядке, скоро он придет в себя. Будет тише воды.

8 – 4178

В первую же секунду электрошока Эдуард почувствовал то, что уже было ему знакомо: зрение стало ослабевать, как будто кто-то закрывал занавеску, — и наконец все исчезло полностью. Не было никакой боли или страдания, только он уже видел действие прибора на других и знал, как ужасно это выглядит.

Теперь Эдуард был спокоен. Если незадолго до этого он испытывал какое-то новое ощущение в сердце, начинал осознавать, что любовь это не только то, чем его одаривают родители, — электрошок (или ЭКТ — электроконвульсивная терапия, как ее называют специалисты) наверняка вернет его в «нормальное состояние».

Главным эффектом ЭКТ было стирание недавних воспоминаний. Исчезали мечты и фантазии, возможность предугадывать будущее. Мысли должны были оставаться обращенными в прошлое, иначе у пациента возникло бы желание снова вернуться к жизни.

Через час Зедка вошла в почти пустую палату — там была лишь одна койка, на которой лежал молодой человек. Рядом на стуле сидела Вероника.

Подойдя поближе, Зедка увидела, что у девушки снова была рвота, ее голова безвольно лежала на правом плече.

Зедка хотела было сразу позвать кого-нибудь из медперсонала, но Вероника подняла голову.

— Это ничего, — сказала она. — Был еще один приступ, но он уже прошел.

Зедка ласково взяла ее за руку и повела в туалет.

— Это мужской туалет, — сказала девушка.

— Здесь никого нет, не беспокойся.

Зедка сняла с девушки грязный свитер, выстирала его и разложила на радиаторе отопления. Затем сняла с себя шерстяную кофточку и надела ее на Веронику.

— Оставь себе. Я пришла попрощаться.

Девушка казалась далекой, как будто уже ничто ее не интересовало.

Зедка проводила ее в палату и снова усадила на тот стул, где она сидела прежде.

— Скоро Эдуард очнется. Вероятно, он с трудом будет помнить о недавних событиях, но память достаточно быстро восстановится. Не тревожься, если на первых порах он не будет тебя узнавать.

— Не буду, — ответила Вероника. — Я тоже сама себя не узнаю.

Зедка придвинула стул и села рядом. Она уже столько времени пробыла в Виллете, что несколько лишних минут с этой девушкой ничего не меняли.

— Помнишь нашу первую встречу? Я тогда рассказала тебе историю про короля, пытаясь пояснить, что мир в точности таков, каким мы его видим. Все сочли короля сумасшедшим, потому что он хотел установить такой порядок, которого уже не было в головах подданных.

Однако в жизни есть вещи, которые, с какой стороны на них ни смотри, всегда остаются неизменными — и имеют ценность для всех людей. Любовь, например.

Зедка видела, что выражение глаз Вероники изменилось. Она решила продолжать.

— Мне кажется, что, если тебе осталось жить совсем мало, а это недолгое время ты проводишь у этой кровати, глядя на спящего юношу, в этом есть что-то от любви. Я бы сказала больше: если за это время с тобой случился сердечный приступ, но ты продолжала молча сидеть, просто ради того, чтобы оставаться рядом с ним, — значит, эта любовь может стать намного сильнее.

— А может быть, это отчаяние, — сказала Вероника. — Попытка доказать, что в конечном счете нет смысла продолжать борьбу за место под солнцем. Я не могу быть влюблена в мужчину, который живет в другом мире.

— Каждый живет в своем собственном мире. Но если ты посмотришь на звездное небо, то увидишь, что все эти разные миры соединяются в созвездия, солнечные системы, галактики.

Вероника встала у изголовья Эдуарда. Ласково провела руками по его волосам. Она была рада, что в эти минуты ей есть с кем поговорить.

— Много лет назад, когда я была ребенком и мама заставляла меня учиться игре на фортепиано, я говорила себе, что смогу играть по-настоящему хорошо лишь тогда, когда буду влюблена. Этой ночью впервые в жизни я почувствовала, что звуки словно сами текут из-под моих пальцев.

Какая-то сила вела меня, создавала такие мелодии и аккорды, которые я в жизни не смогла бы сыграть. Я отдалась пианино, потому что перед этим отдалась этому мужчине — при том, что он не тронул даже волоса у меня на голове. Вчера я была сама не своя — и когда отдавалась сексу, и когда играла на пианино. И все же у меня такое чувство, будто именно тогда я действительно была собой.

Она покачала головой.

— Наверное, всё, что я говорю, не имеет смысла.

Зедка вспомнила о своих встречах в Космосе — встречах с теми сущностями, которые плавают в разных измерениях. Ей захотелось рассказать об этом Веронике, но она боялась еще больше ее смутить.

— Прежде чем ты снова скажешь, что собираешься умереть, я вот что хочу тебе сообщить: есть люди, которые всю жизнь проводят в поисках того переживания, которое было у тебя вчерашней ночью, но их поиск ни к чему не приводит. Поэтому, если уж тебе суждено умереть сейчас, умри с сердцем, наполненным любовью.

Зедка встала.

— Тебе нечего терять. Люди, как правило, не позволяют себе любить именно потому, что многое поставлено на карту — будущее и прошлое. В твоем случае существует только настоящее.

Она наклонилась и поцеловала Веронику.

— Если я пробуду здесь еще какое-то время, в конце концов у меня пропадет желание отсюда уйти. Меня вылечили от депрессии, но здесь, в Виллете, я открыла другие виды душевных заболеваний. Я хочу унести этот опыт с собой и начать смотреть на жизнь собственными глазами.

Когда я пришла сюда, я была заурядной жертвой депрессии. Сегодня я — из тех, кого называют ненормальными, и очень этим горжусь. Там, на свободе, я буду себя вести в точности так же, как другие. Буду ходить за покупками в супермаркет, болтать с подругами о пустяках, просиживать часами у телевизора. Но я знаю, что моя душа свободна и что я могу мечтать, могу говорить с другими мирами, о существовании которых, прежде чем попасть сюда, даже не подозревала.

Я позволю себе совершать какие угодно глупости лишь для того, чтобы люди говорили: ее выпустили из Виллете! Но я знаю, что моя душа будет целостной, ведь моя жизнь имеет смысл. Я смогу смотреть на закат и верить, что за ним находится Бог. Когда, скажем, мне кто-нибудь сильно надоест, я без стеснения выругаюсь, и меня совершенно не будет волновать, что об этом подумают, ведь все будут говорить: «Она вышла из Виллете!»

Я буду смотреть прямо в глаза мужчинам на улице, не стыдясь чувствовать себя желанной. Зайду в самый дорогой магазин и куплю лучшего вина, на какое у меня хватит денег, а потом заставлю мужа пить вместе со мной — просто потому, что мне захотелось повеселиться вместе с ним — я ведь так его люблю.

Он рассмеется и скажет мне: да ты с ума сошла! А я отвечу: конечно, ведь я была в Виллете! И сумасшествие принесло мне свободу. Теперь, милый муженек, тебе придется каждый год брать отпуск и возить меня куда-нибудь в горы, где подстерегают опасные приключения: ведь чтобы жить настоящей жизнью, необходимо подвергаться риску.

Люди будут говорить: мало того, что сама побывала в Виллете, теперь еще и мужа за собой тащит! А он поймет, что так оно и есть, и станет Бога благодарить за то, что наша супружеская жизнь лишь начинается сейчас, и мы безумны, как безумен каждый, кто открыл для себя любовь.

Зедка вышла, напевая необычный мотив, который Веронике еще никогда не доводилось слышать.

*День был тяжелый, но прожит он был
не напрасно. Доктор Игорь пытался
сохранять хладнокровие и напускное
равнодушие ученого мужа, но ему с трудом
удавалось сдержать восторг: исследования
по лечению отравления Купоросом
приносили удивительные результаты!*

*Н*а сегодня вам не назнача-
лась встреча, — сказал
он Мари, которая вошла без стука.

— Я совсем ненадолго. По правде говоря, мне только
хотелось услышать ваше мнение.

*Сегодня всем только и хочется, что услышать мое
мнение,* — подумал доктор Игорь, вспоминая девушку и
ее вопрос о сексе.

— К Эдуарду только что применили электрошок.

— Электроконвульсивную терапию. Пожалуйста, на-
зывайте вещи своими именами, иначе возникает впечатление, что мы какие-то варвары.

Доктору Игорю удалось скрыть удивление, но теперь
ему предстояло выяснить, кто же принял такое решение
за его спиной.

— Если хотите знать мое мнение, должен вам пояснить, что сегодня ЭКТ делают не так, как когда-то.

— Но это опасно.

—*Было* опасно. Раньше точно не знали, каким должно быть напряжение, куда присоединять электроды, и бывало, что пациенты умирали от кровоизлияния в мозг прямо во время лечения. Но теперь все по-другому: ЭКТ применяют с высокой точностью, ее преимущество в том, что она вызывает временную амнезию без побочных последствий, тогда как другие методы, основанные на длительном медикаментозном лечении, часто приводят к химическому отравлению организма. Будьте добры, прочтите несколько журналов по психиатрии, и вы не будете путать ЭКТ с электрошоком южноамериканских мучителей. Ну все. Мое мнение вы узнали, как и просили. А теперь мне нужно работать.

Мари не шелохнулась.

— Я ведь не об этом хотела узнать. На самом деле меня интересует, можно ли мне уйти отсюда.

— Вы уходите, когда хотите, и возвращаетесь, поскольку вам этого хочется и поскольку у вашего мужа еще есть деньги, чтобы содержать вас в таком дорогом заведении, как это. Может быть, вы хотели спросить: «Я вылечилась»? Тогда я отвечу вам вопросом на вопрос: вылечилась от чего? Вы скажете: вылечилась от своего страха, от панического синдрома. И я отвечу: ну, Мари, этим вы не страдаете уже три года.

— Значит, я вылечилась.

— Конечно, нет. Ваша болезнь иная. В диссертации, которую я пишу для представления в Академию наук Словении (доктору Игорю не хотелось рассказывать подробности о *Купоросе*), я стараюсь изучить человеческое поведение, которое называют «нормальным». Многие до меня уже проводили подобные исследования и приходили к заключению, что норма — это всего лишь вопрос соглашения. Иными словами, если большинство людей считают что-либо действительным, это *становится* действительным.

Есть вещи, основанные на здравом смысле: то, что пуговицы находятся на рубашке спереди, а не сзади или, скажем, сбоку — это вопрос логики, поскольку иначе было бы очень затруднительно ее застегивать.

Другие же вещи становятся нормальными потому, что все больше людей считает, будто они должны быть такими. Приведу вам два примера. Вы никогда не задумывались, почему буквы на клавиатуре пишущей машинки располагаются именно в таком порядке?

— Нет.

— Назовем эту клавиатуру «QWERTY», поскольку буквы первого ряда расположены именно в такой последовательности. Я задумался, почему это так, и нашел ответ: первую машинку изобрел в 1873 году Кристофер Скоулз для усовершенствования каллиграфии. Но с ней была одна проблема: если человек печатал с большой скоростью, литеры сталкивались друг с другом и машинку заклинивало. Тогда Скоулз придумал клавиатуру

QWERTY — клавиатуру, которая заставляла машинисток работать медленнее.

— Не верю.

— Но это правда. И Ремингтон — в то время производитель швейных машинок — использовал клавиатуру QWERTY в своих первых пишущих машинках. Это означает, что все больше людей были вынуждены обучаться этой системе и все больше фирм — изготовлять такие клавиатуры, пока она не стала единственным существующим эталоном. Повторяю: клавиатура машинок и компьютеров придумана для того, чтобы на них печатали медленнее, а не быстрее, понимаете? Однако попробуйте поменять буквы местами, и ваше изделие никто не купит.

Действительно, увидев клавиатуру впервые, Мари задумалась, почему она располагается не в алфавитном порядке. Но потом уже ни разу не задавалась таким вопросом, полагая, что это и есть лучшая схема для скоростного печатания.

— Вы когда-нибудь были во Флоренции? — спросил доктор Игорь.

— Нет.

— А стоило бы. Это не так уж далеко, и с ней связан мой второй пример. В кафедральном соборе Флоренции есть красивейшие часы, созданные в 1443 году Паоло Уччелло. Оказывается, у этих часов есть одна особенность: хотя они и показывают время, как любые другие, стрелки движутся в направлении, обратном тому, к которому мы привыкли.

— Какое это имеет отношение к моей болезни?

— Сейчас поймете. Создавая эти часы, Уччелло не стремился быть оригинальным: на самом деле в то время были и такие часы, и часы, в которых стрелки двигались в привычном для нас направлении. По какой-то неизвестной причине — вероятно, потому, что у герцога были часы со стрелками, движущимися в направлении, которое сегодня нам известно как правильное — оно в конечном счете и стало единственным общепринятым, а часы Уччелло стали казаться чем-то умопомрачительным, безумным.

Он выдержал паузу, в уверенности, что Мари неотрывно следит за ходом его рассуждений.

— Итак, перейдем к вашей болезни: каждое человеческое существо уникально в своих проявлениях, инстинктах, способах получать удовольствие, стремлении к приключениям. Но общество все-таки навязывает коллективный образ действий, и людям даже не приходит в голову задаться вопросом, почему они должны поступать так, а не иначе. Они соглашаются с этим точно так же, как машинистки согласились с тем, что QWERTY — лучшая из возможных клавиатур. Вы помните, чтобы кто-нибудь хоть раз за всю вашу жизнь спросил вас, почему стрелки часов движутся в этом, а не в обратном направлении?

— Нет.

— Если бы кто-нибудь такое спросил, вероятно, он бы услышал в ответ: вы с ума сошли! Если бы он повторил вопрос, люди попытались бы найти причину, но затем сменили бы тему разговора — ведь нет никакой причины, кроме той, о которой я рассказал. Итак, я возвращаюсь к вашему вопросу. Повторите его.

— Я вылечилась?

— Нет. Вы *другой* человек, которому хочется быть таким же, как *все*. А это, с моей точки зрения, является опасной болезнью.

— Опасно быть *другой*?

— Нет. Опасно — пытаться быть такой же, как все: это вызывает неврозы, психозы, паранойю. Опасно хотеть быть как все, потому что это означает насиловать природу, идти против законов Бога, который во всех лесах и рощах мира не создал даже двух одинаковых листочков. Но вы считаете безумием быть *другой*, и поэтому выбрали жить в Виллете. Потому что, поскольку здесь все отличаются от других, вы становитесь такой же, как все. Понимаете?

Мари кивнула головой.

— Не имея смелости быть другими, люди идут против природы, и организм начинает вырабатывать *Купорос*, или *Горечь*, как называют в народе этот яд.

— Что такое *Купорос*?

Доктор Игорь понял, что слишком увлекся, и решил сменить тему.

— Не имеет значения, что такое *Купорос*. А сказать я хочу следующее: всё свидетельствует о том, что вы не вылечились.

У Мари был многолетний опыт работы в судах, и она решила тут же применить его на практике. Первым тактическим приемом было притвориться, что она согласна с оппонентом, чтобы сразу же после этого увлечь его в сети другого способа рассуждений.

— Я согласна. Здесь я оказалась по вполне конкретной причине — из-за панического синдрома, но осталась по причине весьма абстрактной: из-за неспособности принять другой образ жизни — без привычной работы, без мужа. Я с вами согласна. Мне не хватило воли начать новую жизнь, к которой пришлось бы снова привыкать. Скажу больше: я согласна, что в приюте для умалишенных, даже со всеми его электрошоками — простите, ЭКТ, как вы предпочитаете выражаться, — распорядком дня, приступами истерии у некоторых пациентов, правила соблюдать легче, чем законы мира, который, как вы говорите, «делает всё, чтобы все подчинялись его правилам».

Так случилось, что прошлой ночью я услышала, как одна женщина играет на пианино. Играла она мастерски, такое редко приходится слышать. Слушая музыку, я думала обо всех, кто страдал ради создания этих сонат, прелюдий, адажио: о насмешках, которые им пришлось вынести, представляя эти произведения — *другие* — тем, кто правил миром музыки. О тяготах и унижениях, через которые пришлось пройти в поисках того, кто согласился бы финансировать оркестр. О насмешках публики, которая еще не привыкла к подобным гармониям.

Но самое худшее, думала я, это не страдания композиторов, но то, что девушка играет их от всей души потому, что знает о своей скорой смерти. А разве я сама не умру? Где я оставила свою душу, чтобы иметь силы играть музыку моей жизни с таким же воодушевлением?

Доктор Игорь слушал молча. Похоже, все, что он задумал, приносило свои плоды, но было еще рано утверждать это наверняка.

— Где я оставила свою душу? — снова спросила Мари. — В моем прошлом. В том прошлом, которое так и не стало тем будущим, к которому я стремилась. Я предала свою душу в тот момент, когда у меня еще были дом, муж, работа... Когда я хотела оставить все это, да так и не хватило смелости.

Моя душа осталась в моем прошлом. Но сегодня она пришла сюда, и я, воодушевленная, вновь ощущаю ее в своем теле. Я не знаю, что делать. Знаю только, что мне потребовалось три года, чтобы понять: жизнь толкала меня на другой путь, а я не хотела идти.

— Мне кажется, я вижу некоторые симптомы улучшения, — сказал доктор Игорь.

— Мне не было необходимости просить разрешения покинуть Виллете. Достаточно было выйти из ворот и больше никогда не возвращаться. Но мне нужно было все это кому-нибудь сказать, и я говорю вам: смерть этой девушки заставила меня понять мою жизнь.

— Мне кажется, что симптомы улучшения превращаются в чудесное исцеление, — рассмеялся доктор Игорь. — Что вы собираетесь делать?

— Уехать в Сальвадор, заботиться о детях.

— Вам незачем ехать так далеко: менее чем в двухстах километрах отсюда находится Сараево. Война закончилась, но проблемы остаются.

— Поеду в Сараево.

Доктор Игорь вынул из ящика стола бланк и тщательно его заполнил. Затем встал и проводил Мари до двери.

— Идите с Богом, — сказал он, вернулся к столу и закрыл за собой дверь. Ему не нравилось привыкать к своим пациентам, но избежать этого ни разу не удалось. В Виллете будет сильно недоставать Мари.

Когда Эдуард открыл глаза, девушка все
еще сидела рядом. При первых сеансах
электрошока ему требовалось много
времени, чтобы вспомнить, что
происходило накануне. Собственно, именно
в этом и состоял терапевтический эффект
данного вида лечения: вызвать у больного
частичную потерю памяти, заставить его
забыть то, что его встревожило,
и успокоить.

О днако частое применение электрошока привело к тому, что Эдуард стал попросту устойчив к его воздействию. И он сразу же узнал девушку.

— Ты во сне говорил о райских видениях, — сказала она, проводя рукой по его волосам.

О райских видениях? Да, райские видения. Эдуард посмотрел на нее. Ему хотелось все рассказать. Однако в этот момент вошла медсестра со шприцем.

— Мне нужно сделать вам укол, — сказала она Веронике. — Это указание доктора Игоря.

— Сегодня уже делали, я больше не хочу лекарств, — ответила девушка. — А кроме того, я не хочу отсюда уходить. Я больше не намерена подчиняться ни единому указанию, ни единому правилу, ничему из того, к чему меня будут принуждать.

Казалось, медсестра привыкла к подобной реакции.

— Тогда, к сожалению, мы будем вынуждены ввести вам успокоительное.

— Мне нужно поговорить с тобой, — сказал Эдуард. — Пусть тебе сделают укол.

Вероника закатала рукав свитера, и медсестра ввела лекарство.

— Хорошая девочка, — сказала она. — А теперь почему бы вам обоим не выйти из этой мрачной палаты и не пройтись немного?

— Тебе стыдно оттого, что было вчера ночью, — сказал Эдуард, когда они прогуливались по саду.

— Нет, уже не стыдно. Теперь я горжусь этим. Я хочу узнать о райских видениях, ведь к одному из них я была так близка.

— Мне нужно заглянуть подальше, за корпуса Виллете, — сказал он.

— Так и сделай.

Эдуард оглянулся назад, — но не на стены палат и не на сад, в котором молча прогуливались пациенты, — а на одну из улиц на другом континенте, в краю тропических ливней и раскаленного солнца.

Эдуард чувствовал запах той земли. Стоял
сухой сезон, пыль набивалась в нос,
а он был доволен, ведь чувствовать
землю — значит чувствовать себя живым.
Он катил на импортном велосипеде, ему
было семнадцать лет, он только что
закончил семестр в американском колледже
в городе Бразилиа, где учились и все другие
дети дипломатов.

О н ненавидел столицу, но любил бразильцев. Двумя годами ранее его отца назначили послом Югославии — в те времена, когда кровавый раздел страны никому и не снился. У власти еще находился Милошевич. Мужчины и женщины жили рядом при всех их различиях и старались ладить друг с другом, несмотря на региональные конфликты.

Первым назначением его отца была именно Бразилия. Эдуард мечтал о пляжах, о карнавале, о футбольных матчах, о музыке, а оказался в этой столице вдали от побережья, созданной только как пристанище для политиков, бюрократов, дипломатов и их детей, которые толком и не знали, что им делать во всем этом окружении.

Эдуард ненавидел такую жизнь. На целый день он погружался в учебу и пытался — но безуспешно — общаться с товарищами по колледжу, пытался — но безуспешно — заинтересоваться автомобилями, модными кроссовками, фирменной одеждой — ведь только об этом и говорили его сверстники.

Время от времени случались вечеринки, на которых в одном конце зала сидели подвыпившие юноши, а в другом — изображавшие безразличие девушки. Наркотики были обычным делом, и Эдуард уже успел испробовать практически все существующие их разновидности, но так и не сумел ни к одному из них пристраститься. Он был то чересчур взвинченным, то слишком вялым и быстро терял интерес ко всему происходившему вокруг.

Семья была озабочена. Его готовили к карьере дипломата, по стопам отца. Но, хотя у Эдуарда и были все необходимые для этого таланты — желание учиться, хороший художественный вкус, способность к языкам, интерес к политике, — ему недоставало основного качества дипломата. Ему было трудно контактировать с окружающими.

И сколько бы его родители, получавшие неплохое жалование, ни водили его на приемы, ни открывали двери дома для товарищей по американскому колледжу, Эдуард редко кого-либо приводил. Однажды мать спросила, почему он не приглашает друзей на обед или на ужин.

— Я уже знаю все марки кроссовок и знаю поименно всех девушек, с которыми легко заниматься любовью. А более интересных тем для разговора у нас нет.

Но однажды появилась бразильская девушка. Посол и его супруга успокоились, когда сын начал выходить из дому и возвращаться поздно. Никто точно не знал, откуда она взялась, но однажды вечером Эдуард привел ее домой на ужин. Девушка была воспитанной, и они порадовались: наконец-то юноша становится более раскрепощенным. Кроме того, оба они подумали, хотя и не сказали об этом друг другу, что присутствие этой девушки сняло еще один повод для тревоги: Эдуард не гомосексуалист!

К Марии (так ее звали) они относились с любезностью будущих свекров, хотя и знали, что через два года их переведут в другую страну, и совершенно не собирались женить сына на ком-либо из столь экзотических краев. По их планам, сын должен был познакомиться с девушкой из добропорядочной семьи во Франции или в Германии, которая могла бы стать достойной супругой будущего дипломата.

Тем временем, Эдуард, похоже, влюбился не на шутку. Обеспокоенная мать заговорила об этом с супругом.

— Искусство дипломатии состоит в том, чтобы заставить противника ждать, — сказал посол. — Хотя мы никогда не забываем свою первую любовь, она всегда проходит.

Однако судя по всему, Эдуард изменился до неузнаваемости. Он стал появляться дома со странными книгами, установил в своей комнате пирамиду и вместе с Марией ежевечерне возжигал благовония, часами концентрируясь на прикрепленном к стене странном изображении. Успеваемость Эдуарда в американской школе начала падать.

Мать не знала португальского, но она видела обложки книг: кресты, костры, повешенные ведьмы, экзотические символы.

— Наш сын читает опасные вещи.

— Опасно то, что сейчас происходит на Балканах, — ответил посол. — Ходят слухи, что Словения хочет независимости, а это может привести нас к войне.

Мать же политике не придавала никакого значения. Ей хотелось знать, что происходит с сыном.

— Что это за навязчивая идея — жечь ладан?

— Это чтобы убивать запах марихуаны, — отвечал посол. — Наш сын получил прекрасное образование, вряд ли он станет верить, что эти пахучие палочки могут привлекать духов.

— Мой сын пристрастился к наркотикам!

— Это пройдет. Я тоже в молодости курил марихуану, потом от нее начинает тошнить — и меня тошнило.

Женщина почувствовала гордость и спокойствие: ее муж — человек опытный, он втянулся в мир наркотиков и смог из него выбраться! Мужчина с такой силой воли мог контролировать любую ситуацию.

В один прекрасный день Эдуард попросил велосипед.

— У тебя есть шофер и «мерседес-бенц». Зачем тебе велосипед?

— Для контакта с природой. Мы с Марией уезжаем на десять дней в путешествие, — сказал он. — Здесь недалеко есть место, где встречаются особые кристаллы, которые, как уверяет Мария, передают хорошую энергию.

Мать и отец получили образование при коммунистическом режиме: кристаллы были всего лишь минералами с определенным расположением атомов и не излучали никакой энергии — ни положительной, ни отрицательной. Они стали наводить справки и обнаружили, что эти идеи о «вибрациях кристаллов» начали входить в моду.

Если бы сыну вздумалось поговорить на эту тему на официальном приеме, он мог бы показаться смешным в глазах окружающих: впервые посол признал, что ситуация становится нежелательной. Бразилия была городом, живущим слухами, и вскоре все могли бы узнать, что Эдуард склонен к примитивным предрассудкам. Соперники отца в посольстве могли подумать, что юноша всему этому научился от родителей, а ведь дипломатия — это не только искусство ждать, но и способность всегда, при любых обстоятельствах соблюдать условности и протокол.

— Мальчик мой, так дальше продолжаться не может, — сказал отец. — У меня есть друзья в Министерстве иностранных дел Югославии. Я уверен, из тебя выйдет блестящий дипломат, а для этого необходимо научиться принимать мир таким, как он есть.

Эдуард ушел из дома и в тот вечер не вернулся. Родители звонили домой к Марии, в городские морги и больницы, но так и не услышали никаких вестей. Мать потеряла веру в способность мужа контролировать ситуацию в семье, даже хотя он замечательно вел переговоры с посторонними.

На следующий день Эдуард появился, голодный и сонный. Он поел и пошел к себе в комнату, зажег благовония, произнес свои мантры и весь день и всю ночь спал. Когда он проснулся, его ожидал новенький с иголочки велосипед.

— Поезжай за своими кристаллами, — сказала мать. — Отцу я все объясню.

Итак, в тот сухой и пыльный день Эдуард радостно ехал к дому Марии. Город был настолько хорошо спланирован (по мнению архитекторов) — или настолько плохо спланирован (по мнению Эдуарда), что углов в нем почти не было. Он ехал по правой полосе скоростной трассы, глядя в небо, покрытое не дающими дождя тучами, и тут почувствовал, что внезапно поднялся к этому небу и сразу же после этого опустился и оказался на асфальте.

Я попал в аварию.

Он хотел перевернуться, ведь его лицо буквально впечаталось в асфальт, но понял, что не в состоянии управлять своим телом. Он услышал шум тормозящих машин, крики людей, почувствовал, как кто-то подошел и попытался к нему прикоснуться, и тут же раздался крик: «Не трогайте! Если кто-нибудь его тронет, он может остаться калекой на всю жизнь!»

Секунды шли медленно, и Эдуард почувствовал страх. В отличие от своих родителей, он верил в Бога и в жизнь после смерти, но все равно ему это казалось несправедливым — умереть в 17 лет, глядя в асфальт, не на своей земле.

—С тобой все в порядке? —услышал он чей-то голос.

Нет, с ним было не все в порядке, он не мог шевельнуться, не мог даже ничего сказать. Хуже всего было то, что сознания он не терял, полностью осознавал, что происходит вокруг и что произошло с ним. Неужели он не потеряет сознания? Бог не проявит к нему милосердия именно тогда, когда он, вопреки всему и вся, столь напряженно Его ищет?

— Уже идут врачи, — прошептал другой человек, взяв его за руку. — Не знаю, слышишь ли ты меня, но успокойся. Ничего страшного.

Да, он слышал, и ему хотелось, чтобы этот человек — мужчина — продолжал говорить, заверяя, что с ним ничего страшного не происходит, хотя он был уже достаточно взрослым и понимал, что так говорят всякий раз, когда положение очень серьезно. Он подумал о Марии, о том районе, где есть горы кристаллов, исполненных положительной энергии, хотя столица Бразилии была крупнейшим средоточием всего того отрицательного, что ему довелось познать в своих медитациях.

Секунды превращались в минуты, люди продолжали пытаться его успокоить — и тут, впервые с момента происшествия, он почувствовал боль. Острую боль, которая раскалывала голову на части и словно распространялась по всему телу.

— Скорая уже здесь, — сказал мужчина, державший его за руку. — Завтра снова будешь ездить на велосипеде.

Но на следующий день Эдуард лежал в больнице, обе его ноги и одна рука были в гипсе, и в ближайшие тридцать дней он не мог оттуда выйти. Ему приходилось выслушивать бесконечный плач матери, нервные телефонные звонки отца. Врачи каждые пять минут повторяли, что самые тяжелые двадцать четыре часа уже позади и что никакой черепно-мозговой травмы нет.

Семья связалась с американским посольством, которое, не доверяя диагнозам местных государственных больниц, содержало свою собственную медицинскую службу и приглашало лучших бразильских врачей, достойных обслуживать американских дипломатов. Иногда, следуя политике добрососедства, они не возражали против использования этих служб и другими дипломатическими представительствами.

Американцы привезли свое оборудование последнего поколения, сделали вдесятеро больше новых проверок и анализов и пришли к тому же заключению, к какому приходили всегда: врачи государственной больницы все оценили правильно и приняли верные решения.

Врачи в государственной больнице были, возможно, и хорошими, но вот программы бразильского телевидения были такими же безобразными, как и в любом другом уголке мира, и Эдуард не находил себе занятия. Мария в больнице появлялась все реже — наверное, нашла себе другого приятеля, который ездит с ней в горы за кристаллами.

В отличие от его непостоянной возлюбленной, посол с женой навещали Эдуарда ежедневно, но отказывались приносить лежавшие дома книги на португальском языке, ссылаясь на то, что ожидают назначения в другую страну, так что незачем изучать язык, который больше не понадобится ему в жизни. Таким образом, Эдуард довольствовался тем, что общался с другими больными, обсуждал с санитарами новости футбола и время от времени почитывал попадавшие ему в руки журналы.

И вот однажды один из санитаров принес ему только что приобретенную книгу, которую, однако, счел «слишком толстой, чтобы ее осилить». И именно с этого момента жизнь Эдуарда пошла по странной колее, которая затем и привела его в Виллете, к утрате чувства реальности, к полному отчуждению от всего, чем в последующие годы будут заниматься его ровесники.

Книга была о мистиках и мечтателях, которые потрясли мир. Это были люди, имевшие свое собственное представление о рае земном и посвятившие свою жизнь тому, чтобы передать свое знание другим. Среди них был Иисус Христос, но был также и Дарвин со своей теорией о том, что человек произошел от обезьяны; Фрейд, утверждавший, что сны имеют важное значение; Колумб, отдавший под залог драгоценности королевы ради поисков нового континента; Маркс с его идеей о том, что все заслуживают равных возможностей.

Были и такие святые, как Игнатий Лойола — баск, переспавший со всеми женщинами, с какими только мог переспать, убивший множество врагов в бесчисленном количестве битв, который однажды, лежа в постели и выздоравливая от полученных в Памплоне ран, внезапно постиг Вселенную. Или Тереза из Авилы, которая всю свою жизнь искала путь к Богу, а встретила Его в тот момент, когда просто шла по коридору и случайно взглянула на одну из картин. Антоний — человек, уставший от своей жизни, который решил уединиться в пустыне и прожил десять лет в окружении демонов, испытывая всевозможные соблазны. Франциск Ассизский — юноша вроде него, решивший говорить с птицами и бросить все, что запланировали для него в жизни родители.

Тем же вечером, не найдя для себя лучшего развлечения, он взялся за чтение «слишком толстой книги». В середине ночи вошла медсестра и спросила, не требуется ли ему помощь, поскольку только в его комнате еще горел свет.

Эдуард лишь сделал отрицательный жест рукой, не отрывая глаз от книги.

Эти мужчины и женщины потрясли мир, хотя были такими же обычными людьми, как и он сам, как его отец, как его возлюбленная, которую он сейчас терял. Они были полны тех же сомнений и беспокойств, какие уготованы в этой жизни всем людям. Люди, особо не интересовавшиеся религией, Богом, расширением границ ума или достижением иного уровня сознания до тех пор, пока однажды... — в общем, пока не решили однажды все изменить. Книга была тем более интересна, что в ней говорилось о том, что в каждой из этих жизней был некий волшебный момент, заставивший их отправиться на поиски собственного видения Рая.

Эти люди не позволили, чтобы их жизнь проходила как попало, и ради исполнения своих желаний просили милостыню или прислуживали королям; нарушали все правила или навлекали на себя гнев власть имущих; использовали дипломатию или силу, но никогда не отступали от своего пути, всегда находили в себе способность преодолеть любые преграды, обращая их себе в помощь.

На следующий день Эдуард отдал свои золотые часы санитару, который дал ему книгу, попросил продать их и купить все книги на эту тему, какие ему попадутся. Но больше не нашлось ни одной. Он пытался читать биографии некоторых из этих людей, но в них находил лишь описания каждого из этих мужчин и женщин как избранных, воодушевленных, а не как обыкновенных людей, которым приходилось, как и любому другому, бороться за утверждение своих идей.

Прочитанное произвело на Эдуарда столь сильное впечатление, что он стал всерьез задумываться о возможности стать святым, использовать этот несчастный случай, чтобы изменить направление своей жизни. Но у него были переломаны ноги, в больнице ему не являлись никакие видения, он ни разу не прошел мимо картины, которая бы потрясла его душу, у него не было друзей, с которыми он мог бы выстроить часовню в глубине бразильского плоскогорья, а пустыни находились слишком далеко — там, где существовало множество политических проблем. Но даже при этом кое-что сделать он мог: обучиться живописи и постараться показать миру видения, которые посещали тех мужчин и женщин.

Когда гипс сняли, он вернулся в посольство, окруженный заботой, ласками и всеми знаками внимания, каких может удостоиться сын посла от других дипломатов, и попросил мать записать его на курсы живописи.

Мать сказала, что он уже пропустил много часов занятий в американском колледже и пора наверстывать пропущенное. Эдуард отказался: у него не было ни малейшего желания продолжать изучать географию и естествознание. Ему хотелось быть художником.

Улучив удобный момент, он пояснил причину:

— Я хочу рисовать райские видения.

Мать ничего не сказала и пообещала поговорить со своими знакомыми и выяснить, где в городе есть лучшие курсы живописи. Вернувшись вечером с работы, посол обнаружил, что она плачет у себя в комнате.

— Наш сын сошел с ума, — сказала она, вся в слезах. — От этой аварии у него повредился мозг.

— Это невозможно! — с возмущением ответил посол. — Его обследовали врачи, которых рекомендовали американцы.

Жена рассказала о разговоре с сыном.

— Это обычная для подростков блажь. Подожди, и ты увидишь, что все вернется к норме.

На этот раз ожидание ни к чему не привело, поскольку Эдуард спешил начать *жить*. Через два дня, устав ждать ответа подруг матери, он решил сам записаться на курсы живописи. Он начал учиться цвету и перспективе, а еще он познакомился с людьми, которые никогда не говорили о марках кроссовок или моделях автомобилей.

— Он общается с художниками! — со слезами на глазах говорила мать послу.

— Оставь мальчика в покое, — отвечал посол. — Скоро ему и это надоест, как надоела подружка, кристаллы, пирамиды, благовония, марихуана.

Но время шло, и комната Эдуарда превращалась в импровизированную студию с картинами, которые для родителей не имели никакого смысла: это были круги, экзотические сочетания цветов, примитивные символы вперемежку с молящимися людьми.

Эдуард — подросток, который еще недавно так любил находиться в одиночестве и за два года жизни в Бразилии ни разу не появился в доме с друзьями, теперь толпами приводил в дом странных типов. Все они были плохо одеты, с растрепанными волосами, слушали ужасные диски на полной громкости, пили и курили, не зная меры, демонстрировали полнейшее пренебрежение протоколом добропорядочного поведения. Однажды директрисса американского колледжа вызвала жену посла на беседу.

— Мне очень жаль, но ваш сын, похоже, пристрастился к наркотикам, — сказала она. — Его успеваемость ниже нормы, и, если так будет продолжаться, мы вынуждены будем отчислить его.

Жена пошла прямо в кабинет посла и рассказала ему обо всем услышанном.

— Ты постоянно только и твердишь, что все вернется к норме! — в истерике кричала она. — Твой сын курит наркотики, сходит с ума, у него какая-то серьезнейшая проблема с мозгом, а тебя волнуют только коктейли и заседания!

— Говори потише, — попросил посол.

— Я больше никогда не стану говорить потише, ни за что в жизни, до тех пор, пока твое отношение будет оставаться таким! Этому мальчику нужна помощь, понимаешь? Медицинская помощь! Так сделай же что-нибудь!

Озабоченный тем, что сцена, устроенная его женой, может подорвать его авторитет, и беспокоясь, что интерес Эдуарда к живописи оказался более долговечным, чем ожидалось, посол — человек практичный, знавший, как поступать правильно, — определил стратегию подхода к решению проблемы.

Прежде всего он позвонил своему коллеге — американскому послу и попросил его разрешения еще раз воспользоваться аппаратурой посольства для обследований. Просьба была удовлетворена.

Он снова отыскал рекомендуемых врачей, объяснил ситуацию и попросил пересмотреть результаты всех ранее проведенных обследований. Врачи, боясь, что против них могут возбудить дело, сделали все в точности так, как их попросили, и пришли к заключению, что обследование не выявило никаких нарушений. Прежде чем посол вышел, они потребовали, чтобы он подписал документ, согласно которому он освобождает американское посольство от ответственности за то, что оно указало их имена.

Сразу же после этого посол направился в больницу, где ранее лежал Эдуард. Он поговорил с директором, объяснил ему проблему сына и попросил, чтобы под видом обычного осмотра ему сделали анализ крови для выявления присутствия в организме юноши наркотиков.

Так и сделали. И никаких следов наркотиков не обнаружили.

Оставался третий, и последний, этап стратегии: поговорить с самим Эдуардом и узнать, что происходит. Только владея всей информацией, посол сможет принять решение, представляющееся ему правильным.

Отец и сын сидели в гостиной.

— Ты вызываешь беспокойство у матери, — сказал посол. — У тебя ухудшились оценки, и есть риск, что тебя не допустят к дальнейшей учебе.

— Папа, оценки на курсах живописи у меня улучшились.

— Я считаю твой интерес к искусству делом похвальным, но для этого у тебя впереди целая жизнь. Сейчас же необходимо закончить среднюю школу, чтобы в дальнейшем я смог позаботиться о· твоей дипломатической карьере.

Прежде чем что-либо ответить, Эдуард надолго задумался. Он вновь вспомнил несчастный случай, книгу о мистиках, которая стала всего лишь предлогом, подтолкнувшим его к тому, чтобы найти свое истинное призвание, подумал о Марии, о которой больше ни разу не слышал. Он долго колебался и наконец ответил.

— Папа, я не хочу быть дипломатом. Я хочу быть художником.

Отец уже готовился к такому ответу и знал, как его обойти.

— Ты будешь художником, но сначала закончи свою учебу. Мы организуем выставки в Белграде, в Загребе, в Любляне, в Сараево. При том влиянии, которое у меня есть, я смогу многое для тебя сделать, но только после того, как ты получишь образование.

— Если я последую твоему совету, я выберу самый легкий путь, папа. Поступлю в какой-нибудь университет, буду учиться чему-то такому, что меня не интересует, но что будет приносить деньги. Тогда живопись останется на втором плане, и я в конечном счете забуду о своем призвании. Я должен научиться зарабатывать деньги живописью.

Посла начало охватывать раздражение.

— У тебя, сынок, есть все: семья, которая тебя любит, дом, деньги, положение в обществе. Но ты знаешь, наша страна переживает непростой период, ходят слухи, что начнется гражданская война. Возможно, завтра меня уже здесь не будет, и я не смогу тебе помочь.

— Я сумею сам себе помочь, папа. Поверь в меня. Однажды я напишу серию картин под названием «Райские видения». Это будет зримая история того, что люди до сих пор переживали только в своем сердце.

Посол похвалил решимость сына, завершил беседу улыбкой и про себя решил дать ему еще один месяц: как-никак, дипломатия — это еще и искусство откладывать принятие решения до тех пор, пока проблема не исчезнет сама собой.

Месяц прошел. Эдуард по-прежнему посвящал все свое время живописи, странным друзьям, музыке, которая, вероятно, каким-то образом нарушала его психическое равновесие. В довершение ко всему, его исключили из американского колледжа за спор с преподавателем о жизни святых.

В качестве последней попытки, на сей раз не предусматривавшей откладывания решения, посол снова вызвал сына для мужского разговора.

— Эдуард, ты сейчас в таком возрасте, когда пора принимать на себя ответственность за собственную жизнь. Мы терпели, сколько было возможно, но теперь пора кончать с этим глупым желанием быть художником и готовиться к приобретению профессии.

— Папа, но я для того и учусь, чтобы приобрести профессию художника.

— Если бы ты только знал, как мы тебя любим и какие усилия прилагаем, чтобы дать тебе хорошее образование. Поскольку ты никогда прежде так себя не вел, я могу объяснить происходящее только как последствие несчастного случая.

— Пойми, что я вас люблю больше всего на свете.

Посол смущенно кашлянул. Он не привык к таким непосредственным проявлениям нежности.

— Тогда, во имя любви, которую ты к нам испытываешь, сделай, пожалуйста, так, как хочет твоя мать. Брось на некоторое время эту историю с живописью, подыщи себе друзей из нашего круга и возвращайся к учебе.

— Если ты меня любишь, папа, то не должен просить об этом, ведь ты сам учил меня, что нужно бороться за то, чего хочешь достичь. Ты не можешь хотеть, чтобы я был человеком без воли.

— Я же сказал: во имя любви. Ведь никогда раньше я этого не говорил, сынок, а сейчас прошу об этом. Ради любви, которую ты к нам испытываешь, ради любви, которую мы чувствуем к тебе, вернись домой — не в физическом смысле, а в реальном. Ты обманываешь сам себя, когда бежишь от реальности.

С первого дня твоей жизни с тобою связаны наши самые сокровенные чаяния. Ты для нас все: наше будущее и наше прошлое. Твои деды были государственными служащими, и я боролся, как лев, чтобы начать карьеру дипломата и продвинуться в ней. И все это только ради того, чтобы открыть тебе дорогу, облегчить тебе путь. У меня до сих пор лежит ручка, которой я в качестве посла подписал мой первый документ, я бережно ее храню, чтобы передать тебе в тот день, когда и ты сделаешь то же самое.

Не обманывай наших ожиданий, сынок. Мы уже немолоды, мы хотим умереть спокойно, зная, что ты получил хорошую путевку в жизнь.

Если ты действительно нас любишь, сделай, как я прошу. Если ты не любишь нас, продолжай в том же духе.

Эдуард часами вглядывался в небо над городом Бразилия, смотрел на проплывающие в синеве облака — красивые, но не способные пролить ни единой капельки дождя на сухую землю центрального Бразильского плоскогорья. Он был так же опустошен, как и они.

Если сохранить верность своему выбору, мать в конце концов сляжет от страданий, отец утратит энтузиазм в отношении карьеры, оба будут винить себя в том, что допустили ошибку в воспитании любимого сына. Если отказаться от живописи, видения Рая никогда не выйдут на свет Божий и ничто в этом мире уже не сможет принести ему радости и воодушевления.

Он посмотрел вокруг, увидел свои картины, вспомнил, с какой любовью и нежностью он накладывал каждый мазок, и счел их все посредственными. Он обманывался. Ему хотелось быть тем, для чего он никогда не был избран, и ценою этого было разочарование родителей.

Райские видения были для людей избранных, которые в книгах выступают как герои и мученики своей веры. Люди, с детства знавшие, что они нужны миру. А то, что написано в книге, — это вымысел романиста.

За ужином он сказал родителям, что они правы: это была юношеская мечта, и его интерес к живописи уже прошел. Родители были довольны, мать от радости расплакалась и обняла сына. Все вернулось в норму.

Ночью посол втайне отметил свою победу, откупорив бутылку шампанского, которую один и выпил. Когда он пришел в спальню, его жена — впервые за столько месяцев — уже спокойно спала.

На следующий день они обнаружили, что комната Эдуарда разгромлена, картины растерзаны режущим предметом, а сам он сидит в углу и смотрит на небо. Мать обняла его, сказала, как она его любит, но Эдуард не ответил.

Он не хотел больше слышать о любви: всем этим он был сыт по горло. Ему казалось, что он сможет все бросить и последовать советам отца, но в своей работе он зашел слишком далеко — перешел пропасть, отделявшую человека от его мечты, и назад пути уже не было.

Он не мог идти ни вперед, ни назад. А значит, проще было уйти со сцены.

Еще около пяти месяцев Эдуард пробыл в Бразилии, за ним ухаживали специалисты, установившие диагноз — редкая форма шизофрении, вероятно вызванная аварией с велосипедом. Вскоре в Югославии вспыхнула гражданская война, посла поспешно отозвали, проблемы накапливались слишком быстро, чтобы семья могла о нем заботиться, и единственным выходом было оставить его в недавно открытом санатории Виллете.

Σχιζοφρην

*Когда Эдуард закончил рассказывать
свою историю, был уже поздний вечер,
и оба они дрожали от холода.*

П ойдем вовнутрь, — ска-
зал он. — Уже накрыли
к ужину.

— В детстве, бывая в гостях у бабушки, я подолгу
смотрела на одну картину, которая висела у нее на стене.
Это была женщина — Мадонна, как говорят католики.
Она парила над миром, простирая к Земле руки, с которых струились лучи света.

Самым любопытным в этой картине для меня было то,
что эта женщина стояла ногами на живой змее. Я тогда
спросила бабушку: «Она не боится змеи? Ведь змея может укусить ее за ногу, и она погибнет от яда!»

А бабушка ответила:

«Змея принесла на Землю Добро и Зло, как говорится
в Библии. Матерь Божия управляет и Добром, и Злом
силой своей любви».

— А какое все это имеет отношение к моей истории?

— Я знаю тебя всего лишь неделю, так что было бы
слишком рано говорить: «Я тебя люблю», а поскольку эту

ночь я не переживу, говорить тебе это было бы к тому же слишком поздно. Но любовь — это и есть великое безумие мужчины и женщины.

Ты рассказал мне историю любви. Если быть откровенной, я считаю, что родители желали тебе всего наилучшего, и именно эта любовь почти разрушила твою жизнь. То, что Мадонна на картине у моей бабушки попирает ногами змею, означает, что у этой любви две стороны.

— Я понимаю, о чем ты говоришь, — сказал Эдуард. — Я спровоцировал электрошок, потому что ты меня совсем запутала. Я боюсь того, что я чувствую, ведь любовь однажды уже разрушила меня.

— Не бойся. Сегодня я просила у доктора Игоря разрешения выйти отсюда и самой выбрать то место, где бы мне хотелось навсегда закрыть глаза. Но увидев, как тебя тащат санитары, я вдруг поняла, что твое лицо — это и есть то, что я хотела бы видеть последним, покидая этот мир. И я решила не уходить.

Когда ты спал после шока, у меня случился еще один приступ, и я подумала, что мой час настал. Я смотрела на твое лицо, пытаясь угадать историю твоей жизни, и приготовилась умереть счастливой. Но смерть не пришла — мое сердце снова выдержало, наверное, оттого, что я молода.

Он опустил глаза.

— Не стыдись быть любимым. Я ничего не прошу, только позволь мне любить тебя, играть еще одну ночь на пианино, если у меня хватит на это сил. А за это я прошу тебя только об одном: если услышишь, как кто-нибудь станет говорить, что я умираю, иди прямо в мою палату. Позволь мне осуществить мое желание.

Эдуард долго молчал, и Вероника решила, что он вновь вернулся в свой отдельный мир.

Наконец он посмотрел на горы за стенами Виллете и сказал:

— Если хочешь выйти, я тебя проведу. Дай мне только время взять пальто и немного денег. И мы сразу же уйдем.

— Это ненадолго, Эдуард. Ты ведь знаешь.

Эдуард не ответил. Он вошел в помещение и вскоре вышел с пальто.

— Это на целую вечность, Вероника. Дольше, чем все одинаковые дни и ночи, которые я провел здесь, пытаясь забыть о тех райских видениях. Я почти забыл их, но, похоже, они возвращаются.

— Ну что ж, пойдем. Слава безумцам!

Когда в тот вечер все собрались за ужином,
пациенты заметили, что недостает
четырех человек.

Не было Зедки — но все знали, что после длительного лечения ее выписали. Мари, которая, по-видимому, ушла в кино, как часто бывало. Эдуарда, который, вероятно, еще не оправился от электрошока. Вспомнив об этой процедуре, все пациенты почувствовали страх и начали свой ужин в молчании.

Но главное — не хватало девушки с зелеными глазами и каштановыми волосами. Той самой, о которой всем было известно, что до конца недели она не доживет.

О смерти в Виллете открыто не говорили. Но, когда кто-либо исчезал, это все замечали, хотя старались вести себя так, будто ничего не произошло.

От стола к столу начал распространяться слух. Некоторые заплакали, ведь она была полна жизни, а теперь, наверное, лежала в небольшом морге, расположенном с тыльной стороны больницы. Только самые смелые отваживались проходить мимо, даже в светлые дневные часы. Там стояли три мраморных стола, и, как правило, один из них всегда был занят новым телом, которое было покрыто простыней.

Все знали, что этим вечером там находится Вероника. Те из пациентов, кто действительно были душевнобольными, вскоре забыли, что на той неделе в санатории появилась еще одна больная, которая иногда всем мешала спать, играя на пианино.

Некоторые, услышав эту новость, почувствовали какую-то грусть, особенно медсестры, которые проводили рядом с Вероникой ночи на дежурстве в палате интенсивной терапии. Но сотрудников готовили к тому, чтобы они не устанавливали слишком близких отношений с больными, ведь одних выписывали, другие умирали, а у большинства состояние становилось все хуже. Их печаль длилась немного дольше, но затем и она прошла.

И все же большинство пациентов, узнав эту новость, изобразили испуг, грусть, но в действительности вздохнули с облегчением. Потому что в который раз ангел смерти прошел по Виллете, а их пощадил.

Когда Братство собралось после ужина,
один из членов группы принес сообщение:
Мари не пошла в кино, она ушла,
чтобы больше не возвращаться,
и передала ему конверт.

Казалось, никто не придал этому особого значения: она всегда была *не такой*, слишком безрассудной, неспособной адаптироваться к идеальной ситуации, в которой все они жили в Виллете.

— Мари так и не поняла, как мы здесь счастливы, — сказал один из членов Братства. — Мы друзья, у нас общие интересы, свободный режим, мы выходим в город, когда захотим, приглашаем лекторов на интересующие нас темы, обсуждаем их идеи. Наша жизнь достигла совершенного равновесия, а скольким людям там, за этими стенами, безумно хотелось бы этого.

— Не говоря уже о том, что в Виллете мы защищены от безработицы, от последствий войны в Боснии, от экономических трудностей, от насилия, — добавил другой. — Мы обрели гармонию.

— Мари оставила мне записку, — сказал принесший известие, показав запечатанный конверт. — Она попросила меня зачитать ее вслух, как если бы хотела сказать «до свидания» всем нам.

Самый старший из присутствовавших открыл конверт и сделал, как просила Мари. Видно было, что, дочитав до середины, он хотел остановиться, но было уже слишком поздно, и пришлось дочитывать до конца.

«Однажды, будучи еще молодым адвокатом, я читала одного английского поэта, и мне очень запомнилась его фраза: "будь как переливающийся через край фонтан, а не как резервуар, содержащий все одну и ту же воду". Я всегда считала, что он ошибается: переливаться через край опасно, ведь так можно затопить места, где живут любимые люди, и они бы захлебнулись нашей любовью и нашим энтузиазмом. Поэтому всю свою жизнь я старалась вести себя подобно резервуару, никогда не нарушая границ, установленных моими внутренними стенками.

Но случилось так, что по причине, которой мне никогда не понять, у меня возник панический синдром. Я превратилась именно в то, чего я всеми силами старалась избежать: в фонтан, который перелился через край и затопил все кругом. В результате всего этого я оказалась в Виллете.

Вылечившись, я вернулась в резервуар и познакомилась с вами. Спасибо вам за дружбу, за участие, за столько радостных мгновений. Мы жили вместе, словно рыбы в аквариуме, счастливые оттого, что кто-то в определенный час подбрасывал нам корм и мы могли, при желании, увидеть мир с той стороны через стеклянные стенки.

Но вчера, благодаря пианино и одной девушке, которой сегодня, должно быть, уже нет в живых, я открыла нечто очень важное: жизнь здесь, внутри, в точности такая же, как и за этими стенами. И здесь, и там люди собираются группами, возводят свои стены и не позволяют ничему постороннему нарушать их заурядное существование. Они совершают поступки потому, что привыкли их совершать, изучают бесполезные предметы, развлекаются лишь потому, что их вынуждают развлекаться, а остальной мир пусть себе сходит с ума, пусть гниет сам по себе. В лучшем случае они — как мы сами это столько раз делали вместе — посмотрят по телевизору новости только для того, чтобы лишний раз убедиться, как они счастливы в этом мире, полном проблем и несправедливости.

Другими словами, Братство живет, в сущности, так же, как почти все люди за этими стенами, — никто не хочет знать, что происходит за стеклянными стенками аквариума. Долгое время это утешало и приносило пользу. Но мы меняемся, и сейчас я отправляюсь на поиски приключений, хотя мне уже 65 лет, и я знаю, сколько препятствий создаст для меня мой возраст. Я еду в Боснию: есть люди, которые меня там ждут, хотя пока еще ничего обо мне не знают, а я не знаю их.

Но я знаю, что я нужна и что риск одного приключения дороже тысячи дней благополучия и комфорта».

Когда он закончил читать письмо, члены Братства молча разошлись по своим комнатам и палатам, говоря себе, что Мари окончательно свихнулась.

Эдуард и Вероника выбрали самый дорогой ресторан Любляны, заказали лучшие блюда, выпили три бутылки вина урожая 88-го года, одного из лучших в этом веке.

Во время ужина они ни разу не заговорили ни о Виллете, ни о прошлом, ни о будущем.

М не понравилась история со змеей, — говорил он, в который раз наполняя бокал. — Но твоя бабушка была совсем старенькая и не смогла ее правильно интепретировать.

— Я попрошу уважения к моей бабушке! — уже сильно опьянев, воскликнула Вероника — так громко, что все в ресторане обернулись.

— Так выпьем же за бабушку этой девушки! — сказал Эдуард, поднявшись. — Выпьем за бабушку этой сумасшедшей, которая сидит передо мной и, надо думать, попросту сбежала из Виллете!

Посетители снова склонились над своими тарелками, делая вид, что ничего такого не происходит.

— Выпьем за мою бабушку! — повторила Вероника.

К столу подошел владелец ресторана.

— Пожалуйста, ведите себя прилично.

Они было притихли, но вскоре вновь заговорили во весь голос, стали нести околесицу, ведя себя неподобающим образом.

Хозяин ресторана снова подошел к столу и сказал, что они могут не оплачивать счет, но должны немедленно выйти.

— На этих безумно дорогих винах мы замечательно сэкономим! — провозгласил Эдуард. — Пора смываться, пока этот тип не передумал!

Но «этот тип» и не собирался передумывать. Он уже отодвигал стул Вероники — казалось бы, вполне учтиво, на самом же деле для того, чтобы помочь ей подняться как можно скорее.

Когда они оказались посреди маленькой площади в центре города, Вероника увидела окно своей комнаты в монастыре, и на какой-то миг сознание прояснилось. Она снова вспомнила, что скоро должна умереть.

— Возьмем еще выпить! — попросила она Эдуарда.

В ближайшем баре Эдуард купил две бутылки вина, парочка уселась рядышком, и попойка продолжалась.

— Так что неправильного в толковании моей бабушки? — спросила Вероника.

Эдуард был уже слишком пьян, и ему потребовались немалые усилия, чтобы вспомнить, о чем он говорил в ресторане. Но ему это удалось.

Morning

— Твоя бабушка говорила, что женщина топчет эту кобру потому, что управлять Добром и Злом должна любовь. Это красивое и романтичное толкование, но на самом деле все не так: ведь я уже видел этот образ, это одно из райских видений, которые я написал в своем воображении. Я уже спрашивал себя, почему Пресвятую Деву всегда изображают именно так.

— Почему?

— Потому что Дева — женская энергия — это Великая Повелительница Змеи, которая означает мудрость. Если обратить внимание на кольцо доктора Игоря, можно заметить, что это символ врачей: две змеи, обвившиеся вокруг жезла. Любовь стоит выше мудрости, как Дева выше змеи. Для нее все — Вдохновение. Она не судит о Добре и Зле.

— Знаешь что? — сказала Вероника. — Дева никогда не придавала значения тому, что думают другие. Представь себе, что было бы, если бы пришлось рассказывать всем историю со Святым Духом! Она ничего не рассказывала, а только сказала: «Так было в самом деле». Ты знаешь, что бы сказали другие?

— Конечно, знаю. Что Она сошла с ума!

Оба рассмеялись.

Вероника подняла бокал.

— Поздравляю. Вместо того чтобы говорить, лучше бы ты писал свои райские видения.

— Я начну с тебя, — ответил Эдуард.

Рядом с маленькой площадью есть маленькая гора. На вершине маленькой горы стоит маленький замок. Ругаясь и смеясь, поскальзываясь на льду и притворно жалуясь друг другу на усталость, Вероника и Эдуард взобрались по склону.

Рядом с замком стоит гигантский кран желтого цвета. У человека, впервые приехавшего в Любляну, создается впечатление, что замок восстанавливают и вскоре полностью отреставрируют. Люблянцам, однако, известно, что кран там стоит много лет, хотя никто толком не знает для чего. Вероника рассказала Эдуарду, что, когда в детском саду детей просят нарисовать люблянский замок, они всегда рисуют его вместе с краном.

— А впрочем, кран сохранился лучше, чем замок.

Эдуард рассмеялся.

— Ты должна была уже умереть, — заметил он, все еще не протрезвев, но с явным страхом в голосе. — Твое сердце не должно было выдержать такого подъема.

Вероника поцеловала его, и поцелуй был долгим и сладким.

— Посмотри внимательно на мое лицо, — сказала она. — Сохрани его в глазах своей души, чтобы однажды ты смог его воспроизвести. Если хочешь, начни с него, но займись снова живописью. Это моя последняя просьба. Ты веришь в Бога?

— Верю.

— Тогда ты поклянешься Богом, в которого ты веришь, что нарисуешь меня.

— Клянусь.

— И что после того, как нарисуешь меня, будешь продолжать рисовать.

— Не знаю, могу ли я в этом поклясться.

— Можешь. И я скажу тебе больше: спасибо тебе за то, что ты дал моей жизни смысл. Я появилась на этот свет, чтобы пройти через все то, через что прошла, попытаться покончить с собой, разрушить свое сердце, встретить тебя, подняться к этому замку и позволить тебе запечатлеть мое лицо в твоей душе. Вот единственная причина, по которой я появилась на свет. Заставить тебя вернуться на тот путь, с которого ты сошел. Не дай мне почувствовать, что моя жизнь была бесполезна.

— Может быть, это слишком рано или слишком поздно, но, так же как и ты, я хочу сказать: *я люблю тебя*. Ты можешь в это не верить, может быть, это просто глупость, моя фантазия.

Вероника обняла Эдуарда и попросила Бога, в которого она не верила, чтобы он принял ее прямо в это мгновение.

Она закрыла глаза и почувствовала, что и он делает то же самое. И пришел сон, глубокий, без сновидений. Смерть была ласкова, она пахла вином и гладила ее волосы.

Эдуард почувствовал, что кто-то слегка
толкает его в плечо. Он открыл глаза.
Светало.

Вы можете пойти погреться
в префектуру, — сказал
полицейский. — Еще немного — и вы оба тут просто
окоченеете.

За какую-то долю секунды он вспомнил все, что происходило прошедшей ночью. В его объятиях была съежившаяся женщина.

— Она... она умерла.

Но женщина шевельнулась и открыла глаза.

— Что с тобой? — спросила Вероника.

— Ничего, — ответил Эдуард, поднимая ее. — Точнее сказать, случилось чудо: еще один день жизни.

*Едва доктор Игорь щелкнул
выключателем — светало по-прежнему
поздно, зима все тянулась, — в дверь
кабинета постучали. Вошел санитар.*

И так, началось, — сказал себе доктор Игорь.

День обещал быть достаточно трудным — во всяком случае не менее, чем предстоящий разговор с Вероникой. К этому разговору доктор готовился всю неделю, так что сегодняшней ночью едва смог уснуть.

—У меня тревожные известия, — сказал санитар. — Пропали два пациента: сын посла и девушка, которую беспокоило сердце.

—Боже, какие вы бестолковые. Охрана этой больницы всегда оставляла желать лучшего.

—Но ведь раньше никто не пытался бежать, — ответил испуганный санитар. — Мы не знали, что это возможно.

—Убирайтесь! Мне нужно подготовить отчет для владельцев, сообщить в полицию, принять необходимые меры. И скажите, чтобы меня больше не беспокоили, ведь на эти дела по вашей милости уйдет не один час!

Санитар вышел, побледнев, понимая, что большая часть ответственности все равно ляжет на его плечи, ведь именно так облеченные властью люди поступают с теми, кто послабее. Вне всяких сомнений, до конца этого дня его уволят.

Доктор Игорь вытащил блокнот, положил его на стол и собрался начать свои записи, но вдруг передумал.

Он погасил свет, оставаясь сидеть за столом, едва освещенным первыми лучами зимнего солнца, и улыбнулся. *Это сработало.*

Он помедлил, предвкушая, как через несколько минут начнет, наконец, свой отчет о единственном известном средстве от *Купороса* — об осознании жизни. И о том, какое средство он применил в своем первом успешном эксперименте на пациентах — осознание смерти.

Возможно, существуют и другие способы лечения, но доктор Игорь решил построить свою диссертацию на том единственном, который он имел возможность всесторонне проверить благодаря одной девушке, которая невольно вошла в его судьбу. Она поступила в клинику в тяжелейшем состоянии с серьезным отравлением и начальной стадией комы. Почти неделю она находилась между жизнью и смертью, и этого времени оказалось достаточно для того, чтобы к нему пришла блестящая идея поставить эксперимент.

Все зависело только от одного — сумеет ли девушка выжить?

И ей это удалось. Без каких-либо серьезных последствий или необратимых процессов. Если она будет заботиться о своем здоровье, то сможет прожить столько же лет, сколько он, или дольше.

Но доктор Игорь был единственным, кто это знал, как знал и о том, что у неудавшихся самоубийц есть тенденция рано или поздно повторять свой поступок. Почему бы не использовать ее в качестве морской свинки и не проверить, удастся ли ему вывести из ее организма *Купорос* — или *Горечь*?

И у доктора Игоря созрел план.

Он взял на себя смелость применить средство, известное как фенотал, чтобы симулировать эффект сердечных приступов. На протяжении недели ей делали инъекции этого препарата, и, должно быть, она действительно очень испугалась — ведь у нее хватило времени, думая о смерти, пересмотреть собственную жизнь. Таким образом, в подтверждение тезиса доктора Игоря «Осознание смерти дает нам силы жить дальше» (так будет называться заключительная глава его работы), девушка вывела из своего организма *Купорос* и, скорее всего, не повторит попытки суицида.

Сегодня он собирался встретиться с ней и сказать, что благодаря инъекциям ему удалось полностью предотвратить дальнейшие сердечные приступы. Побег Вероники избавил его от неприятной обязанности снова лгать.

Доктор Игорь не предвидел лишь одного — «заразности» предписанного им лечения от *Горечи*. Многих в Виллете испугало осознание медленной и неизбежной смерти. Вынужденные думать об этом, они смогли переоценить и свою собственную жизнь.

Явилась Мари с просьбой, чтобы ее выписали. Некоторые пациенты в свою очередь обратились с просьбой о пересмотре их диагноза. Наибольшую тревогу внушала ситуация с сыном посла, ведь он попросту исчез — ясное дело, пытаясь помочь Веронике бежать.

Скорее всего, они и сейчас вместе, — подумал он.

Так или иначе, сыну посла адрес Виллете был известен — на тот случай, если вздумает вернуться. Доктор Игорь был слишком воодушевлен результатами, чтобы обращать внимание на детали.

На какой-то миг у него возникло еще одно сомнение: рано или поздно Вероника поймет, что ни от какого сердечного приступа она не умрет. Обратится к специалисту, и тот ей скажет, что с ее сердцем все в полном порядке. И тогда она сочтет врача, который лечил ее в Виллете, совершенно некомпетентным. Но ведь всем, кто отважился исследовать запретные темы, требуется определенная смелость, и вначале всех их неизбежно ждет непонимание.

Но если на протяжении долгих дней ей придется жить в страхе неминуемой смерти?

Доктор Игорь долго взвешивал соображения «за» и «против» и в конце концов решил: ничего страшного. Она будет считать каждый день чудом — а ведь так и есть, если принять во внимание, каким огромным и насыщенным может стать любое мгновение нашего хрупкого существования.

Он заметил, что свет в окне уже набрал силу, а это означало, что пациенты сейчас, должно быть, завтракают. Вскоре в кабинет потянутся один за другим посетители, вернутся повседневные проблемы, так что лучше сразу же начать делать записи для диссертации.

Он начал скрупулезно описывать эксперимент с Вероникой. Отчет о недостатках системы безопасности Виллете немного подождет.

День Святой Бернадетты, 1998 г.

ИЗДАТЕЛЬСТВО «СОФИЯ»

Отделы реализации:
В Киеве
ст. метро «Лукьяновка»,
ул. Белорусская, д. 36а,
Менеджер — тел./факс: 230-27-32
Нач. отдела реализации — тел.: 230-27-34

E-mail: SophyaInfo@sophya.kiev.ua
http:// www.ln.com.ua/~sophya

В Москве
ул. Казакова, 18, стр. 20
тел.: 261-80-19, 916-57-93; 267-06-18
e-mail: sophya@mail.tcnet.ru, sofiagleb@mail.tcnet.ru

Служба «Книга-почтой»
Россия
105064, Москва, ул. Казакова, 18
Топоркову Ю.; тел.: (094) 476-32-52
e-mail: esoterikos@mtu-net.ru
Украина
Киев, 01030, а/я 41,
или по телефону (044)513-51-92

Литературно-художественное издание
ПАУЛО КОЭЛЬО
Вероника решает умереть

Перевод *О. Домашевский*

Редакторы *И. Старых, Ю. Смирнов*

Коректори *Е. Введенская,*
Е. Ладикова-Роева, Т. Зенова
Художник *В. Ерко*

Оригинал-макет *И. Петушков*

Подписано в печать 06.07.2002 г. Формат 70×100/32.
Бумага офсетная № 1. Гарнитура "Миньон".
Усл. печ. л. 11,05. Зак. 4178.
Доп. тираж III 10 000.

Издательство «София»
03049, Украина, Киев-49, ул. Фучика, 4, кв. 25
http://sophya.com.ua

ООО Издательство «София»
Россия, Москва, ул. Казакова, 18, тел. (095) 261-80-19

ООО Издательский дом «Гелиос»
Изд. лиц. ИД № 03208 от 10.11.2000
109427, Москва, 1-й Вязовский пр., д.5, стр.1

Книга-почтой
e-mail: esoterikos@mtu-net.ru
тел.: (095) 476-32-52

Отпечатано в полном соответствии
с качеством предоставленных диапозитивов
в ОАО «Можайский полиграфический комбинат».
143200, г. Можайск, ул. Мира, 93.